MICROSOFT®
Windows 95

Copyright   © 1996   Data Becker GmbH
                          Merowingerstr. 30
                          40223 Düsseldorf

                © 1996   Micro Application
                          20-22, rue des Petits-Hôtels
                          75010 PARIS
                          Téléphone :   01 53 34 20 20
                          Télécopie :   01 53 34 20 00
                          Internet :   http:/WWW.microapp.com
                          CompuServe :   100270,744

Auteur   Udo BRETSCHNEIDER

Traducteur   Jean-Marc MOSTER

ISBN   : 2-7429-0621-5
Réf. DB : 441522 AA/DF/HF/SM

Guide de l'utilisateur

Windows 95

MICROSOFT®

Micro
Application

Le contenu en un clin d'œil

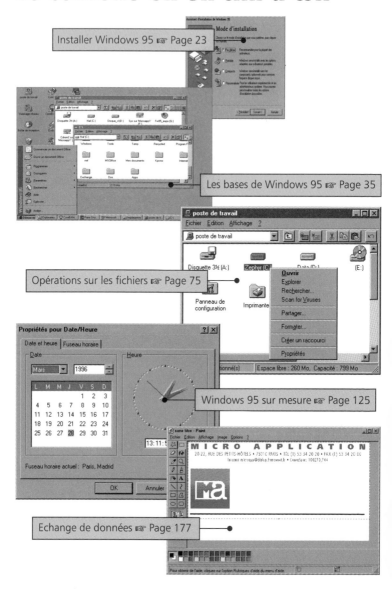

Installer Windows 95 ☞ Page 23

Les bases de Windows 95 ☞ Page 35

Opérations sur les fichiers ☞ Page 75

Windows 95 sur mesure ☞ Page 125

Echange de données ☞ Page 177

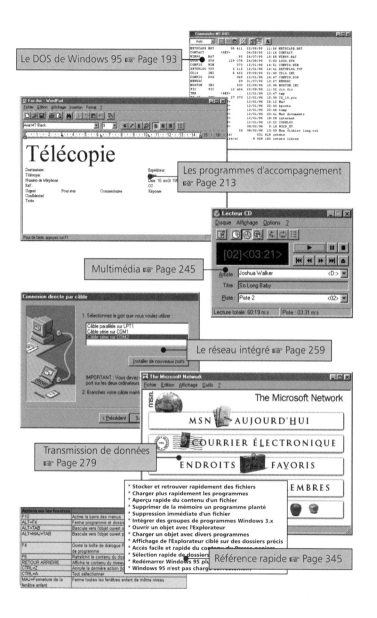

Télécopie

Destinataire :
Télécopie :
Numéro de téléphone :
Réf. :
Urgent   Pour avis   Commentaires
Confidentiel
Texte :

Expéditeur :
Date : 16 août 199
CC :
Réponse

Pour de l'aide, appuyez sur F1

Connexion directe par câble

1. Sélectionnez le port que vous voulez utiliser :

Câble parallèle sur LPT1
Câble série sur COM1
Câble série sur COM2

Installer de nouveaux ports

IMPORTANT : Vous devez
port sur les deux ordinateurs
2. Branchez votre câble main

< Précédent   Su

The Microsoft Network

MSN ☞ AUJOURD'HUI

COURRIER ÉLECTRONIQUE

ENDROITS   FAVORIS

EMBRES

* Stocker et retrouver rapidement des fichiers
* Charger plus rapidement les programmes
* Aperçu rapide du contenu d'un fichier
* Supprimer de la mémoire un programme planté
* Suppression immédiate d'un fichier
* Intégrer des groupes de programmes Windows 3.x
* Ouvrir un objet avec l'Explorateur
* Charger un objet avec divers programmes
* Affichage de l'Explorateur ciblé sur des dossiers précis
* Accès facile et rapide du contenu du Presse-papiers
* Sélection rapide de dossiers
* Redémarrer Windows 95 plu
* Windows 95 n'est pas charg

Actions sur les fenêtres	
F10	Active la barre des menus
ALT+F4	Ferme programme et dossi
ALT+TAB	Bascule vers l'objet ouvert s
ALT+MAJ+TAB	Bascule vers l'objet ouvert p
F4	Ouvre la boîte de dialogue F de programme
F5	Rafraîchit le contenu du dos
RETOUR ARRIÈRE	Affiche le contenu du niveau
CTRL+Z	Annule la dernière action (lo
CTRL+A	Tout sélectionner
MAJ+Fermeture de la fenêtre enfant	Ferme toutes les fenêtres enfant de même niveau

Lecteur CD

Disque   Affichage   Options   ?

[02]<03:21>

Artiste : Joshua Walker   <D:>
Titre : So Long Baby
Piste : Piste 2   <02>

Lecture totale : 60:19 m:s   Piste : 03:31 m:s

Commandes MS-DOS

Auto

NETSCAPE.MST		38 411	22/09/96	11:56 NETSCAPE.MST
CONTACT	<REP>		04/09/96	12:16 CONTACT
WIN86	BAT	93	26/07/96	15:58 WIN86.BAT
CONFIG	WIN	373	12/01/96	14:51 CONFIG.WIN
SETUPLOG	TXT	3 115	12/01/96	14:41 SETUPLOG.TXT
CONFIG	DOS	369	12/01/96	14:47 CONFIG.DOS
NORTON	INI	530	22/09/96	10:56 NORTON.INI
FIC	FIC	12 464	22/09/96	11:02 fic.fic

Mode d'emploi

Pour vous...

Le livre que vous avez entre les mains n'est pas une simple refonte du manuel officiel de Windows 95. Il fournit plutôt une solution ou une réponse immédiate à tout problème relevant de l'usage pratique de Windows 95.

Recherche immédiate...

Sans perdre de temps, vous trouverez votre réponse dans :

➤ La vue d'ensemble des chapitres, présentée au début du livre.

➤ Le guide visuel au début de chaque chapitre.

➤ Les renvois à des rubriques concernant le même sujet.

➤ L'index pratique à la fin du livre.

... et mise en œuvre !

Chaque application concrète, chaque action dont vous aurez besoin sur le plan pratique avec Windows 95 est disponible en un tour de main. Vous serez guidé pas à pas pour chacune d'elles.

De nombreuses illustrations et des exemples pratiques faciliteront l'approche de l'étude. Les gens pressés trouveront des réponses aux questions les plus fréquentes, ainsi que les raccourcis clavier utilisés sous Windows 95, dans le chapitre Référence rapide...

Symboles utilisés dans ce livre

Des onglets d'une couleur distincte pour chacun des chapitres sont disponibles sur chaque page. Ils permettent de bien séparer les thèmes du livre.

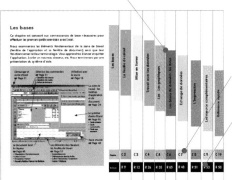

Au bas de chaque feuille, vous trouverez deux autres petits onglets :

Le premier, de couleur variable, précise le numéro du chapitre en cours.

Le second indique la rubrique concernée.

☞ *Pour agrémenter votre lecture, des renvois vers ces rubriques ont été prévus. Vous trouverez donc facilement des informations supplémentaires sur le thème qui vous intéresse.*

Remarque

Des remarques ont aussi été insérées dans le texte. Elles soulignent un point important, un conseil ou une astuce d'utilisation...

Pour nous, le maître mot est : l'essentiel n'est pas la fonction, c'est son application concrète.

Nous vous souhaitons beaucoup de plaisir avec cet ouvrage.

SOMMAIRE

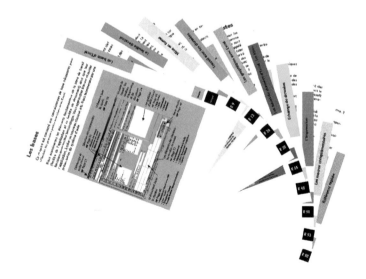

De Windows 3.x à Windows 95

Les nouveautés de Windows 95 et les différences par rapport à Windows 3.11 sont difficiles à lister, il y en a beaucoup et à peu près partout.

➤ Cela dit : tout n'est pas foncièrement nouveau dans Windows 95. Le système d'exploitation reprend en partie DOS, Windows 3.1 et Windows pour Workgroups (intégration des fonctions réseau). Certains éléments de ces trois composants sont restés inchangés, mais beaucoup d'entre eux ont subi des remaniements.

➤ Certains éléments de Windows 95 - aussi bien des programmes complémentaires que des fonctions système internes - sont résolument nouveaux. Le changement le plus profond a trait à la philosophie d'utilisation et à la manière de travailler.

En bref, nous dirons que Windows 95 est un savant compromis entre des innovations indiscutables et le maintien de la compatibilité envers les anciens programmes DOS et Windows.

La nouvelle interface

Cette nouvelle interface ne tient pas seulement en quelques belles icônes, elle offre surtout beaucoup de nouvelles fonctionnalités. Nous n'en prendrons comme exemple que l'icône *Poste de travail* et le bouton *Démarrer.*

➤ Le *Poste de travail* symbolise votre machine, avec toutes ses informations. Après un double clic sur l'icône, posée directement sur le Bureau, vous aurez accès à l'ensemble des fichiers ainsi qu'à tous les périphériques et matériels connectés à votre machine.

➤ La technique la plus rapide pour lancer des programmes est le bouton Démarrer. Vous y retrouverez vos anciens groupes de programmes, sauf qu'ils ne sont plus présentés dans une fenêtre. Ce bouton ouvre le menu Démarrer, qui propose un menu Program*mes* dans lequel vous lancerez l'application voulue d'un simple clic de souris. Ce menu peut avoir d'autres ramifications (par exemple le groupe *Accessoires*).

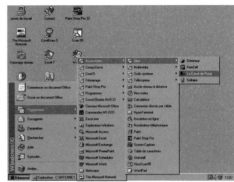

➤ Le programme réduit en icône ne disparaît plus comme avant derrière la fenêtre du Gestionnaire de programmes. Il vient prendre place dans la *Barre des tâches*. Celle-ci affiche en permanence les programmes et les dossiers ouverts. Là encore, un clic de souris rappelle au premier plan l'élément concerné.

➤ Elle affiche également l'heure et offre un accès aisé à d'autres fonctions système telles que le réglage du volume sonore, le Gestionnaire d'impression ou le programme d'émission de fax.

➤ Au cours des traitements, il y a toujours des déchets. Ces déchets viendront désormais prendre place dans la Corbeille. Elle fait preuve d'une intelligence tout à fait remarquable et conserve vos fichiers, au cas où.... La suppression d'un fichier par mégarde est impossible !

Corbeille

➤ Certaines des autres icônes de l'interface servent à des opérations particulières, par exemple les communications réseau ou un tour sur Internet, via modem.

➤ L'interface de Windows 95 peut être librement personnalisée, et on peut parier qu'elle ne restera pas longtemps dans son état initial. Lors de l'aménagement du Bureau, si l'esthétique intervient pour partie, c'est surtout une augmentation des fonctionnalités qui présentera un intérêt. Grâce aux *raccourcis*, vous pourrez poser directement sur ce Bureau vos programmes favoris, vos lecteurs de disquettes, votre dossier réseau ou même des documents, le tout sous forme d'icônes. Un double clic sur une de ces icônes ouvre l'élément concerné.

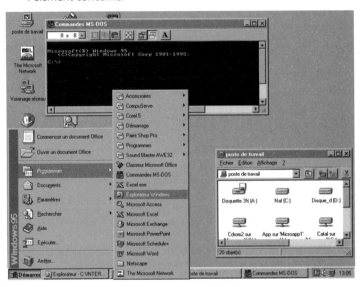

L'interface de Windows 95 fonctionne comme un véritable bureau, sur lequel vous rassemblez l'ensemble des outils et des informations qui sont votre lot quotidien. C'est pourquoi elle est appelée le "Bureau".

Si d'autres personnes sont amenées à utiliser votre Windows 95, il est même possible d'installer plusieurs bureaux personnalisés, chacun offrant à son utilisateur de référence un environnement de travail optimal.

☞ *Pour de plus amples renseignements concernant le Bureau, voir le chapitre 3 "Les bases de Windows 95".*

De Windows 3.x à Windows 95

C1

R0

Le Gestionnaire de fichiers s'appelle désormais l'Explorateur

Le bon vieux Gestionnaire de fichiers est mort, paix à son âme. Il a été remplacé par l'Explorateur pour toutes les opérations de fichiers. L'Explorateur part du Bureau, sait représenter tous les lecteurs sous forme d'une liste de dossiers et propose un ensemble de commandes sous forme de menus ou de boutons de barre d'outils.

Les programmes accessoires

Le nouveau Windows 95 est livré avec toute une série de programmes complémentaires que vous connaissez peut-être déjà de par leurs versions précédentes, sous Windows 3.x. La série a encore été étendue dans Windows 95.

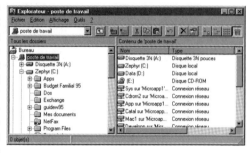

Vous découvrirez en particulier :

➤ Write et Paintbrush en version améliorée, ils s'appellent maintenant WordPad et Paint. Le petit WordPad sait même lire et écrire des textes au format Word 6 pour Windows.

➤ Le Porte-documents est lui aussi une innovation. Il facilite les échanges de fichiers entre une machine de bureau et un portable, se chargeant de la synchronisation des versions.

➤ Les utilitaires système ont été largement développés, rendant désormais inutile le recours à des utilitaires externes. En plus du programme de défragmentation, vous trouverez également un moniteur système, un programme de réparation des données corrompues sur le disque dur et une application affichant l'utilisation des ressources système. Le programme de Backup de Windows 95 a été amélioré et supporte désormais les streamers QIC, largement répandus. La compression de disque dur 32 bit intégrée (DriveSpace) est d'un emploi simple et facile, permettant de compresser/décompresser sans grande perte de temps.

Les progrès d'OLE

L'utilisation d'OLE était déjà partiellement possible sous Windows 3.x. Mais
son champ d'action a été bien élargi
dans Windows 95. Derrière le concept
OLE se cache une foule de fonctionnalités simplifiant le travail avec Windows.
En bref, disons qu'OLE donne la capacité
de créer, à partir de plusieurs programmes, des documents de synthèse (appelés documents composites).

Vous avez intégré dans WordPad un dessin de Paint : il suffit d'un
double clic sur l'image pour pouvoir la modifier. Les barres d'outils
et les menus du traitement de texte changent, comme s'ils avaient
appris les fonctions de dessin de Paint. Plusieurs programmes sont
rassemblés dans un même moule, permettant de réaliser pratiquement toutes les fonctions sans avoir à quitter la fenêtre initiale.

Accès aux autoroutes de l'information

Le monde est plein d'informations. Avec Windows 95, vous y
accéderez plus facilement. Qu'il
s'agisse de messagerie électronique, de l'envoi de fax ou de la
réception des dernières offres de
voyage à prix dégriffé, vous trouverez le programme nécessaire
dans Windows 95.

C 1

R 0

➤ Pour un transfert de données entre deux machines ou vers une messagerie, l'ancien programme Terminal a été remplacé par Hyperterminal, beaucoup plus performant. Ce programme ne supporte pas seulement le transfert de données en Z-Modem. Vous pourrez le paramétrer de diverses manières pour accéder à toutes les sessions de transmission à distance et enregistrer individuellement chaque configuration (par exemple pour les sites que vous appelez le plus souvent).

➤ Avec le module Télécopies, vous pourrez envoyer et recevoir des télécopies. Vous saisirez le texte de votre message dans votre traitement de texte préféré et mettrez au point les pages de garde dans un éditeur perfectionné.

➤ Pour envoyer ou réceptionner des courriers électroniques, C'est Microsoft Exchange qui interviendra. C'est la nouvelle version de Mail, mais avec de nombreuses fonctions supplémentaires. Les réseaux à distance, tels que Compuserve ou Internet, peuvent parfaitement y être intégrés.

➤ Last, but not least, Microsoft offre un service d'information "maison", façon "Compuserve", Microsoft Network. Vous y trouverez une masse d'informations sur les thèmes les plus variés, participerez à des forums ou à des discussions en ligne, etc.

Toujours plus de Multimédia

Le Multimédia est le concept clé des années à venir. Dans ce domaine aussi, les fonctions de Windows 95 ont été largement étendues.

➤ Windows 95 sait diffuser des vidéos.

➤ Il est accompagné d'un lecteur de CD audio, avec définition de l'ordre des plages, saisie et enregistrement de titres.

Windows 95 réagit automatiquement au moment de l'insertion du CD et démarre tout seul la diffusion musicale.

Ce démarrage automatique est même possible pour des CD de données (à condition qu'ils supportent cette fonction).

➤ En plus des fonctions audio et graphiques, l'accès aux paramètres est devenu un jeu d'enfant. Un clic suffit pour régler le volume sonore ou améliorer les paramètres de diffusion. Dans ce domaine non plus, vous n'aurez plus à faire appel à des applications externes.

☞ *Pour plus de renseignements concernant le Multimédia, reportez-vous au chapitre 9.*

Windows 95 est un système d'exploitation 32 bit ...

...c'est du moins ce qui est affirmé bien haut. En fait, ce n'est pas tout à fait vrai. Windows 95 n'est pas un véritable système d'exploitation 32 bit. Certains de ses composants sont encore en 16 bit et ont été repris des versions précédentes. Mais rassurez-vous, ce n'est pas gênant, bien au contraire. Les éléments 16 bit ne servent pas à Windows 95, ils sont simplement là pour assurer la compatibilité avec les programmes DOS et Windows 3.x..

Avantages de la technologie 32 bit

Le noyau central de Windows 95 est un système 32 bit permettant une exécution et une gestion plus efficace des programmes.

➤ Les modules 32 bit de Windows 95 améliorent la vitesse de traitement.

➤ Chaque programme dispose désormais d'un espace de mémoire privé. En cas de plantage d'une application, les autres n'en subissent plus les contrecoups. Le système en lui-même conserve sa stabilité.

➤ Les anciens programmes issus de Windows 3.x (ou même du DOS) se partagent un espace qui leur est réservé. Windows 95 sait même charger les anciens gestionnaires de périphérique 16 bit, si une version 32 bit n'est pas encore disponible. Lors de l'installation de Windows 95, tous les pilotes installés sur votre système sont passés en revue. Si l'échange de la version 16 bit par la version 32 bit est impossible, Windows conserve tout simplement l'ancien pilote.

➤ Avec Windows 95, c'en est fini avec les problèmes de mémoire insuffisante. Dans les versions antérieures, il n'était pas rare de voir apparaître le message demandant de fermer des fenêtres pour

C 1

R 0

pouvoir continuer le travail. La cause était connue : les applications, au moment où vous les abandonniez, ne libéraient pas la mémoire qui leur avait été affectée.

Sous Windows 95, les ressources des applications 32 bit sont libérées à 100 % au moment de la fermeture du programme. Il en va de même en principe pour les applications 16 bit.

Remarque

L'exploitation intégrale des spécificités 32 bit de Windows 95 n'est assurée qu'avec des applications 32 bit.

Pour permettre l'utilisation de programmes 16 bit, Windows 95 a conservé les fichiers INI (WIN.INI, SYSTEM.INI). Pour sa part, Windows 95 n'en a pas l'utilité, les paramètres des applications 32 bit sont maintenus dans une base de données centrale, la base de registres SYSTEM.DAT. L'éditeur de cette base se trouve dans le dossier Windows, il s'agit de REGEDIT.EXE.

Le DOS intégré

Au démarrage du système, il apparaît clairement que le bon vieux DOS n'est plus chargé. Vous êtes livré dès le départ à l'interface graphique. Cela ne signifie pas pour autant que le DOS a totalement disparu. Windows 95 est accompagné d'une nouvelle version DOS, MS-DOS 7, pilotable directement dans Windows.

Si vous êtes de ceux qui utilisent encore bon nombre de programmes DOS (par exemple des jeux), ne vous inquiétez pas. Le nouveau DOS offre plus de possibilités que les anciennes versions. Grâce à Windows 95 et à ses pilotes, la mémoire disponible est plus importante qu'auparavant et les propriétés des  sessions DOS sont facilement configurables.

☛ *Pour plus de renseignements concernant le DOS, reportez-vous au chapitre 7 "Le DOS de Windows 95".*

Plus d'efficience grâce au multitâche préemptif

Le multitâche, c'est tout simplement l'exécution simultanée de plusieurs tâches (les "tasks"). Jusqu'à présent, ce multitâche n'était pas le point fort de Windows. Il était bien possible d'éditer des textes tout en les imprimant, mais les tâches de fond avaient pour inconvénient d'occasionner de forts temps d'attente pour la tâche de premier plan. Avec un PC équipé d'un processeur unique, le multitâche n'est pratiquement pas possible, même si l'affectation très rapide de plages de temps de traitement aux diverses tâches donnait un semblant de simultanéité.

La différence entre Windows 95 et ses prédécesseurs réside dans la méthode d'affectation de ces plages. Alors que dans Windows 3.x (ainsi que dans les applications 16 bit sous Windows 95), l'affectation de ces plages était entreprise par l'application elle-même (on appelait ce système le multitâche coopératif), avec Windows 95 et les programmes 32 bit, c'est le système d'exploitation qui se charge de ces affectations (multitâche préemptif). Avantage : les programmes réticents n'ont plus le choix, ils sont forcés de livrer leurs plages inutilisées aux autres applications.

Multithreading

Ce terme barbare apparaît de plus en plus souvent dans la littérature spécialisée. Il s'agit de l'exécution (presque) simultanée de plusieurs processus dans un même programme. Exemple : pendant le rafraîchissement de l'affichage dans un programme de traitement d'image, vous avez accès aux menus et vous pouvez commencer les premières manoeuvres d'édition.

Pour que cette technique fonctionne, les programmes doivent bien sûr savoir exploiter les capacités de Windows 95. Ils sont relativement rares à l'heure actuelle.

De Windows 3.x à Windows 95

C 1

R 0

De l'ordre en toute chose - Les noms de fichiers longs

FSDC0107.doc - voici à quoi res-
semblaient les noms de fichiers
dans Windows 3.x. Pas évident
à identifier ! Qui saura reconnaître que ce fichier est en fait la
facture à la Société Dupont suite
à sa commande du 01/07 ?

Avec Windows 95, finis les hiéroglyphes ! Il est enfin possible de donner aux fichiers des noms ayant véritablement un sens.

Pour des raisons de compatibilité, Windows 95 gère également les nouveaux noms au format 8.3 (8 caractères pour le nom + 3 caractères pour l'extension). Si vous continuez à employer des applications DOS, ce n'est pas tragique si elles n'acceptent pas les noms longs. Elles se contenteront d'utiliser une forme abrégée, Windows 95 continuant pour sa part à gérer les noms longs.

Plug and Play - La simplicité matérielle

Requêtes d'interruption, adresses d'entrée/sortie, accès direct à la mé-
moire, rares sont les utilisateurs qui savaient se débrouiller avec ces notions hautement techniques. S'il vous est déjà arrivé de rajouter à votre PC une carte-son, un lecteur de CD-ROM ou un disque dur EIDE, vous avez eu affaire à ces informations et savez certainement que toute erreur dans ce domaine se solde invariablement par des problèmes.

Le Plug and Play (littéralement "branchez et jouez") met enfin un terme à cette situation. Il s'agit de la capacité de Windows 95 à affecter lui-même les zones de mémoire et les requêtes d'interruption aux divers périphériques. Dans le cas idéal, il vous suffit de connecter le périphérique et au prochain démarrage de Windows 95, le système reconnaîtra automatiquement le composant, installera le pilote nécessaire et confi-
gurera le tout. Grâce au Panneau de configuration et à son Gestionnaire de périphériques, vous aurez à tout moment un aperçu de l'ensemble du système, avec périphériques et pilotes.

Pour que cette technologie Plug and Play soit efficace à 100 % , trois conditions sont requises : une carte mère avec un BIOS Plug and Play, des périphériques supportant ce standard et Windows 95.

Dans une certaine mesure, vous bénéficierez également des bienfaits du Plug and Play avec des composants ne répondant pas aux spécifications nécessaires. En résumé : la reconnaissance et la configuration automatiques fonctionnent sans problème avec des périphériques répondant à la norme, les autres composants étant de toute manière beaucoup plus faciles à installer que par le passé.

A l'avenir, les périphériques arrivant sur le marché seront tous Plug and Play et les utilisateurs auront ainsi un souci de moins à gérer.

Changement de mentalité dans les manipulations

Avec Windows 95, vous travaillerez beaucoup moins avec des commandes et beaucoup plus en orientation "objet". Alors que dans Windows 3.x, et encore plus sous DOS, les programmes étaient en première ligne (démarrer, chercher des fichiers, exécuter une action, etc.), avec Windows 95, c'est l'objet (le texte, le tableau, l'image) qui se trouve au premier plan.

➤ Le travail est sensiblement facilité par les *raccourcis*. Vous définissez des pointeurs vers les documents de travail les plus fréquemment utilisés, vous les posez sur le bureau ou dans un dossier spécial et vous pourrez ainsi ouvrir ces documents dans leur programme d'origine par un double clic sur le raccourci.

➤ Le bouton droit de la souris prend enfin ses lettres de noblesse. Un clic droit sur un objet affiche un menu contextuel proposant les commandes les plus courantes pour ce type d'objet dans le "contexte" actuel. Ce menu contextuel vous permettra ainsi de copier très facilement l'objet dans le Presse-papiers, d'envoyer un fax ou de modifier ses propriétés.

➤ Les opérations sur les fichiers ont été décentralisées. Par le passé, il vous fallait faire appel au Gestionnaire de fichiers pour copier, déplacer ou renommer un fichier. Aujourd'hui, ces actions sont possibles dans plein d'endroits et avec des outils très divers. Dans la

C 1

R 0

pratique, vous choisirez la technique la plus appropriée compte tenu de l'objet et de la situation.

➤ L'ancienne structure Lecteur-Répertoire-Fichier a été assouplie. Exemple : pour placer un objet dans un dossier, inutile de connaître la localisation précise de ce dossier sur le disque dur.

➤ Les fonctions étendues d'OLE sont du même acabit. Pour insérer un tableau Excel dans un texte Word et pouvoir l'éditer, inutile de lancer Excel, un clic de souris dans Word suffit pour intégrer le tableau. Les programmes forment des ensembles de traitement souples, avec pilotage centralisé.

Installer Windows 95

Si vous avez acheté une machine sur laquelle Windows 95 n'est pas pré-installé, vous devrez configurer le système d'exploitation vous-même.

A l'inverse d'autres systèmes ou programmes, cette installation ne pose aucun problème technique majeur, même si une erreur n'est jamais à exclure totalement.

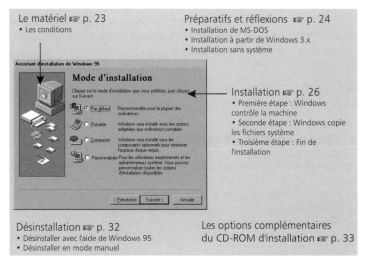

Le matériel ☞ p. 23
• Les conditions

Préparatifs et réflexions ☞ p. 24
• Installation de MS-DOS
• Installation à partir de Windows 3.x
• Installation sans système

Installation ☞ p. 26
• Première étape : Windows contrôle la machine
• Seconde étape : Windows copie les fichiers système
• Troisième étape : Fin de l'installation

Désinstallation ☞ p. 32
• Désinstaller avec l'aide de Windows 95
• Désinstaller en mode manuel

Les options complémentaires du CD-ROM d'installation ☞ p. 33

1 Le matériel

Il est clair que Windows 95 a besoin de plus de ressources système que les versions précédentes, mais au regard de la baisse des prix du matériel et de l'amélioration des équipements de base des machines, les contraintes sont beaucoup moins démesurées qu'il n'y paraît au premier abord.

Les conditions

Pour installer Windows 95, il vous faut environ 56 Mo d'espace disque disponible (pour le système et ses fichiers d'échange). Vous pouvez retirer de ce volume 15 Mo si vous avez déjà une version Windows antérieure en place et si vous avez pris le parti d'installer Windows 95 dans le même répertoire. Nous aurons l'occasion d'y revenir. Pour une installation minimale, il est même possible de descendre à 49 Mo, voire 34 Mo.

Pour disposer d'une bonne rapidité de réaction, Windows 95 a besoin au minimum de 8 Mo de mémoire RAM. Attention, cela ne signifie pas que vous ne pourrez pas utiliser Windows 95 avec une machine dotée de 4 Mo de RAM, cela signifie simplement que ses performances seront inférieures à celles de Windows 3.1 et que le gain attendu ne sera pas au rendez-vous.

De toute façon, Windows 95 vous indiquera au cours de son installation si l'espace disque ou la mémoire sont insuffisants.

2 Préparatifs et réflexions

Le coeur de ces réflexions est la question de savoir si vous allez continuer à utiliser l'ancien DOS et Windows 3.x, ou si vous en faites totalement abstraction. Windows 95 propose une option permettant, au démarrage de la machine, de choisir entre l'ancienne version et la nouvelle. Une simple touche du clavier suffit pour cela. C'est peut-être l'occasion de conserver votre ancienne configuration et d'éviter d'avoir à charger Windows 95 simplement pour quelques parties avec votre jeu DOS préféré. Il existe trois variantes pour l'installation de Windows 95 :

Installation à partir de MS-DOS

Pour le moment, votre machine ne connaît que MS-DOS. C'est la variante la plus simple, vous n'avez pas de remords à avoir quant à une ancienne version de Windows ou de ses applications. Deux conditions sont cependant requises : vous devez disposer d'un lecteur de CD-ROM et votre fichier CONFIG.SYS ne doit PAS contenir l'option *Highscan* dans la ligne d'appel de *Emm386.exe*. Pour démarrer l'installation, insérez le CD de Windows 95 et tapez *Install*.

Remarque

Si vous attachez une certaine importance au fait de pouvoir réutiliser librement votre ancien DOS par la suite, il est recommandé d'effectuer une sauvegarde de votre répertoire DOS. Windows 95 supprime certains fichiers au cours de l'installation, les remplaçant par ses propres versions. La conséquence est que votre ancienne configuration DOS risque de ne plus fonctionner car les fichiers CONFIG.SYS et AUTOEXEC.BAT font référence à des fichiers supprimés. Si vous recopiez ces fichiers dans le répertoire DOS après l'installation de Windows, vous éviterez ce genre d'aléas.

Installation à partir de Windows 3.x

Votre machine est déjà équipée de Windows 3.x. Dans ce cas l'installation se différencie de la première variante par le fait que vous appellerez le programme d'installation par le Gestionnaire de programmes, à l'aide de la commande *Fichier*/*Exécuter*. Ceci mis à part, les principes énoncés pour MS-DOS ci-dessus s'appliquent à l'identique.

Remplacer Windows 3.x ou garder les deux en parallèle ?

Avant de démarrer l'installation, réfléchissez bien à ce dilemme. Souhaitez-vous utiliser les groupes de programmes de Windows 3.x dans Windows 95 ou préférez-vous travailler en parallèle avec les deux ? Au cours de l'installation, le système vous demandera de déterminer dans quel répertoire vous souhaitez installer Windows 95. Par défaut, il proposera même le répertoire C:\WINDOWS.

Si vous maintenez cette localisation, l'ancien Windows sera écrasé et ses paramètres (programmes, groupes de programmes, fichiers INI) seront repris dans Windows 95. Cette solution à l'avantage d'économiser de la place, car vous n'aurez pas deux versions de Windows sur le disque dur et Windows 95 pourra récupérer directement tous les pilotes, les polices de caractères et les fichiers INI de l'ancienne version. Si vous ne souhaitez pas réserver Windows 95 aux applications 32 bit ou si certains de vos programmes rencontrent des difficultés avec Windows 95, l'installation de Windows 95 dans l'ancien répertoire Windows permettra de gagner de la place et d'éviter une foule de travail, car vous n'aurez pas à réinstaller les applications.

Installer Windows 95

C 2

R 2

Sur votre machine, il n'y a encore aucun système d'exploitation

Dans ce cas, il vous faudra une disquette de démarrage DOS, avec un pilote pour le lecteur de CD-ROM et les fichiers de configuration. Démarrez votre machine avec cette disquette et procédez comme dans la variante "Installation à partir de MS-DOS".

3   L'installation

Si vous êtes certain d'avoir suffisamment de place sur le disque dur, de disposer d'assez de mémoire vive et d'avoir fait le bon choix quant au type d'installation, l'opération peut commencer.

Démarrez le programme d'installation de Windows 95 et choisissez une des quatre options proposées. Préparez une disquette vierge, Windows vous proposera de créer une disquette de démarrage en cours de l'installation. Le déroulement de l'installation est simple, les boîtes de dialogue s'expliquent d'elles-mêmes.

Nous nous limiterons ici aux points essentiels et à une installation par défaut. Vous pourrez de toute manière installer les modules complémentaires ultérieurement, lorsque vous en aurez le temps ou le besoin.

Première étape : Windows 95 contrôle la machine

1 Après quelques mots de bienvenue de l'Assistant d'installation (cliquez à chaque fois sur le bouton *Suivant*), Windows 95 commence par ausculter le disque dur à la recherche d'éventuelles erreurs.

> **Remarque**
>
> Si vous avez lancé l'installation à partir de MS-DOS, il vous faudra quitter le programme ScanDisk par un clic sur le bouton Quitter. Puis Windows copie les programmes nécessaires en cours d'installation sur le disque dur.

2 Une boîte de dialogue apparaît, concernant les options de licence. Lorsque vous aurez parcouru le texte, cliquez sur Oui et confirmez ainsi que vous acceptez les termes du contrat.

Sélectionnez le répertoire destiné à Windows

3 La boîte de dialogue suivante vous informe du déroulement de l'installation. Cliquez sur Suivant. Les choses intéressantes commencent enfin : Windows 95 vous demande de spécifier le répertoire dans lequel il doit installer.

Si vous projetez une installation en parallèle avec Windows 3.x, vous devrez impérativement choisir un autre répertoire (l'occasion vous en sera donnée dans la boîte de dialogue suivante). Dans le cas contraire, acceptez C:\WINDOWS. Windows 95 recherche ensuite les composants éventuellement déjà en place et vérifie la disponibilité de l'espace disque nécessaire.

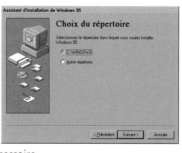

Définir le type d'installation

4 La boîte de dialogue propose 4 types d'installation, parmi lesquels il vous faut choisir.

C 2

R 3

- *Par défaut* : cette variante installe les éléments les plus courants et fonctionne en principe sans aucun problème.

- *Portable* : cette option installe quelques programmes complémentaires nécessaires à l'utilisation d'un portable et à son fonctionnement sur batterie. Ceci mis à part, elle est identique à l'installation par défaut.

- *Compacte* : si vous souffrez d'un manque chronique de place sur votre disque dur, cette option est pour vous. Elle n'installe que le strict minimum.

- *Personnalisée* : à vous de choisir les composants et modules à installer. Vous aurez accès à tous les paramètres système et réseau.

Dans notre exemple, nous avons opté pour une installation par défaut. Ainsi, vous n'aurez pas à intervenir dans la configuration des matériels ou des logiciels. Le système se charge de tout. Cliquez sur *Suivant*.

Identifiez-vous

5 C'est le moment d'indiquer votre nom et celui de votre société. Ce n'est pas indispensable, mais sachez que certains programmes font appel à ces informations pour compléter vos documents et simplifier le travail.

6 Dans la boîte de dialogue suivante, tapez le numéro de série de votre version Windows 95. Cette information est indispensable, elle est la preuve de votre achat.

Quels sont les périphériques connectés à votre machine ?

7 L'étape suivante permet de spécifier un premier choix quant aux périphériques dont est équipée votre machine. Ceci simplifiera la vie à Windows 95, la reconnaissance automatique ne s'en passera que mieux. Puis Windows 95 effectue la reconnaissance automatique des composants matériels. Cette opération peut durer quelques minutes.

Remarque

Si votre ordinateur tombe en léthargie au cours de cette reconnaissance, tenez-vous en aux instructions affichées dans la boîte de dialogue. Eteignez la machine, attendez quelques secondes puis rallumez-la et choisissez un démarrage en mode sans échec. Ainsi, Windows 95 sautera le périphérique litigieux lors de la prochaine reconnaissance. Pour notre part, après une vingtaine d'installations de Windows 95, ce cas ne s'est produit qu'une seule fois. Après redémarrage en mode sans échec, l'installation a pu aboutir sans problème.

Ne pas installer les programmes de communication

8 Dans les boîtes de dialogue suivantes, il vous est demandé si vous souhaitez installer les programmes de communication ou des composants optionnels du package Windows. Pour assurer, répondez par la négative aux deux questions. Si vous décidez de vous y attaquer malgré tout, sachez que le système demandera un certain nombre d'informations dont vous ne disposez peut-être pas. Arrivé à ce stade, la seule solution sera d'interrompre l'installation, avec les conséquences délicates qu'une telle action peut engendrer.

Il vaut mieux installer ces composants ultérieurement.

C 2

R 3

Pour les utilisateurs réseau : définissez votre nom et votre groupe de travail

9 Si Windows 95 a détecté une carte réseau dans votre machine, il vous demandera de définir le nom de votre machine dans le réseau et celui de votre groupe de travail.

Créer une disquette de démarrage

10 C'est le moment d'insérer la disquette vierge que vous avez préparée. Windows 95 propose la création d'une disquette de démarrage (nous y reviendrons par la suite). Quoi qu'il en soit, acceptez cette offre et cliquez sur Suivant. Windows 95 copie les fichiers nécessaires sur le disque dur, formate la disquette et copie les fichiers sur cette disquette.

Deuxième étape - Windows copie les fichiers et redémarre la machine

11 Bien, vous venez de faire le plus dur. Dans quelques dizaines de minutes (tout dépend de la rapidité de votre machine), Windows 95 aura terminé de copier ses fichiers sur votre disque dur.

Lorsque tout est copié, l'Assistant d'installation exécute un redémarrage. Ce sera le premier chargement de Windows 95.

Troisième étape - Fin de l'installation

Après le redémarrage, Windows 95 commence par vérifier les fichiers de configuration DOS AUTOEXEC.BAT et CONFIG.SYS. Il supprime toutes les instructions inutiles ou les remplace par ses propres commandes.

N'ayez crainte, les fichiers originaux sont sauvegardés avec une extension *.DOS et restent à votre disposition si vous envisagez d'utiliser un Dual-Boot.

Réseau : le retour - Nom et mot de passe

12 Si vous êtes connecté à un réseau (ou si vous disposez d'une carte réseau), vous aurez à indiquer un nom d'utilisateur et un mot de passe. En principe, il s'agira du même nom d'utilisateur et du même mot de passe que celui que vous utilisez dans le cadre du réseau.

Le sprint final

13 Windows 95 entreprend ensuite la configuration du matériel, reprend et adapte les anciens paramètres Windows 3.x et installe l'aide en ligne. Tout ceci se déroule sans aucune intervention de votre part. La seule chose qui vous sera demandée est de déterminer le fuseau horaire dans lequel vous vous situez.

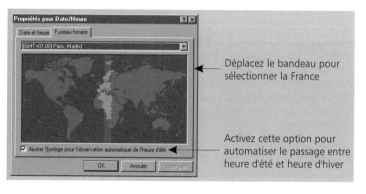

Déplacez le bandeau pour sélectionner la France

Activez cette option pour automatiser le passage entre heure d'été et heure d'hiver

Voilà, c'est fait. Windows 95 est à votre disposition.

Installer Windows 95

C 2

R 3

4   Désinstallation

Si, malgré tous vos efforts, Windows 95 refuse de fonctionner sur votre machine, vous aurez la possibilité de le désinstaller.

Désinstaller avec l'aide de Windows 95

Pendant l'installation, le système vous a demandé si vous souhaitiez créer une sauvegarde de votre ancienne configuration système et de votre ancien DOS. Avez-vous accepté cette proposition ? Si oui, voici ce que vous allez faire :

1   Démarrez la machine à partir de la disquette de démarrage de Windows 95.

2   Exécutez le programme UNINSTALL.EXE contenu sur cette disquette.

Windows 95 est effacé du disque dur et l'ancien système est restauré.

> **Remarque**
>
> Ce type de désinstallation ne fonctionne qu'après la première installation de Windows 95 par MS-DOS. Si vous avez effectué une mise à jour d'une version de démonstration par exemple, cette solution sera pas réalisable, car aucune sauvegarde ne vous aura été proposée. Si votre version DOS est plus ancienne que la version 5.0, la désinstallation ne fonctionnera pas non plus.
>
> En variante de la méthode énoncée ci-dessus, vous pourrez aussi désinstaller Windows 95 par le module *Ajout/Suppression de programmes* du Panneau de configuration.

Rien ne va plus - Désinstallation manuelle

Cette technique est sensiblement plus délicate que la précédente, car elle suppose la suppression ou l'échange d'une foule de fichiers et aboutit invariablement au non-fonctionnement des applications Windows. Au besoin, demandez l'aide d'un spécialiste si vous ne vous sentez pas à la hauteur de la tâche.

Voici comment procéder :

1 Démarrez la machine avec la disquette de démarrage DOS (la première du jeu MS-DOS) et réinstallez entièrement MS-DOS.

2 Redémarrez la machine.

3 Renommez les fichiers CONFIG.DOS et AUTOEXEC.DOS dans le répertoire racine du lecteur C: en leur redonnant leurs anciennes extensions SYS et BAT. Ainsi, votre ancienne configuration DOS sera restaurée. C'est déjà un début !

4 Supprimez le répertoire Windows 95. Attention : si vous n'avez pas effectué d'installation en parallèle de Windows 3.x, vous perdrez le fonctionnement de l'ensemble des applications Windows.

5 Installez Windows 3.x

6 Supprimez les répertoires de vos applications Windows et réinstallez-les.

5   Options complémentaires de l'installation par CD-ROM

Si, après une installation réussie de Windows 95, vous insérez à nouveau le CD, vous constaterez le lancement d'une séquence de démarrage automatique.

Le CD propose un écran de choix permettant d'accéder facilement à certains éléments du CD qui sont, sans cela, d'un abord assez difficile.

Installer Windows 95

C 2

R 5

➤ *Présentation Windows 95* lance une présentation multimédia du nouveau système d'exploitation.

➤ Derrière *Microsoft Exposition* se cache une présentation d'autres produits de Microsoft.

➤ Un clic sur *Hover!* lance un jeu 3D. Nous y reviendrons.

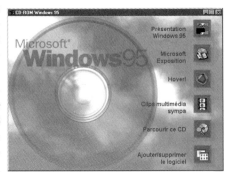

➤ Les *clips multimédia sympa* vous entraînent dans un dossier du CD Windows 95 contenant des fichiers AVI. Un double clic lance des vidéos musicales.

➤ L'option *Parcourir ce CD* charge le contenu du CD. Ceci permet d'éviter de passer par l'Explorateur ou le Poste de travail.

➤ Après un clic sur l'option *Ajouter/Supprimer le logiciel*, vous verrez apparaître la boîte de dialogue d'installation et de désinstallation des composants

Windows 95. Elle est identique au module de même nom du Panneau de configuration. Pour copier des programmes complémentaires sur le disque dur ou pour supprimer ceux qui sont inutiles, la technique la plus rapide est d'insérer le CD Windows 95.

Les bases de Windows 95

Dans ce chapitre, nous aborderons les manipulations des éléments qui vous sont présentés à l'écran, directement après le démarrage de Windows. Même les utilisateurs des anciennes versions y trouveront une foule de nouveautés, par exemple le menu *Démarrer*, la *Barre des tâches* et les menus contextuels. Pour le reste, pas de changement, ou vraiment minimes (par exemple les fenêtres).

Les fenêtres ☞ p. 47
• La barre de titre
• Modifier les dimensions
• Déplacer une fenêtre
• Barres de défilement
• Fermer une fenêtre

Le menu Démarrer ☞ p. 60
• Utilisation du menu
• Les composants

L'Aide de Windows 95 ☞ p. 68
• Activer l'aide
• Utiliser l'aide
• Texte d'aide et boutons
• L'Aide intuitive

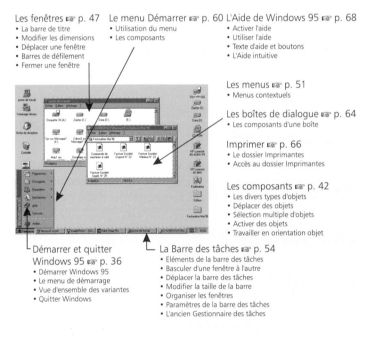

Les menus ☞ p. 51
• Menus contextuels

Les boîtes de dialogue ☞ p. 64
• Les composants d'une boîte

Imprimer ☞ p. 66
• Le dossier Imprimantes
• Accès au dossier Imprimantes

Les composants ☞ p. 42
• Les divers types d'objets
• Déplacer des objets
• Sélection multiple d'objets
• Activer des objets
• Travailler en orientation objet

Démarrer et quitter
Windows 95 ☞ p. 36
• Démarrer Windows 95
• Le menu de démarrage
• Vue d'ensemble des variantes
• Quitter Windows

La Barre des tâches ☞ p. 54
• Eléments de la barre des tâches
• Basculer d'une fenêtre à l'autre
• Déplacer la barre des tâches
• Modifier la taille de la barre
• Organiser les fenêtres
• Paramètres de la barre des tâches
• L'ancien Gestionnaire des tâches

C 3

6   Démarrer et quitter Windows 95

Démarrer et quitter Windows sont des opérations toutes simples, même s'il existe un grand nombre de variantes dans la façon de les exécuter.

Démarrer Windows 95

Après la mise sous tension de la machine et le traitement du setup, Windows est démarré automatiquement.

➤ La récupération des paramètres du système de Windows est effectuée. Il s'agit d'informations chargées à partir d'une base de registres, où sont stockés tous les paramètres importants pour le lancement et l'utilisation de Windows 95.

➤ Au besoin, les anciens fichiers MS-DOS CONFIG.SYS et AUTOEXEC.BAT seront exécutés. Ils ne sont pas indispensables à Windows et peuvent même ne pas être sauvegardés sur le disque dur. Vous trouverez plus loin des informations sur le DOS de Windows et son rôle.

➤ Les pilotes Windows sont chargés.

➤ Windows est initialisé.

Le menu de démarrage de Windows

Si Windows rencontre des problèmes ou si vous souhaitez utiliser votre machine comme un terminal DOS, le menu de démarrage vous proposera un certain nombre d'options influant sur le démarrage. Voici comment y accéder :

1   Mettez la machine sous tension.

2   Attendez de voir apparaître à l'écran le message "Démarrage de Windows 95".

3   Appuyez sur la touche **F8**.

Voici le menu qui vous est proposé :

```
1. Normal
2. Journal de démarrage (\BOOTLOG.TXT)
3. Mode sans échec
4. Mode sans échec avec un support réseau
5 Confirmation pas-à-pas
6. Ligne de commande uniquement
7. Invite MS-DOS en mode sans échec uniquement
8. Version précédente de MS-DOS
```

 Tapez le numéro de l'option choisie et validez par **Entrée**.

Remarque

Windows n'est pas encore actif à ce moment, vous ne disposez donc pas de l'aide.

La huitième option (démarrage avec l'ancienne version de MS-DOS n'est proposée que si une autre version de DOS était en place sur le disque dur au moment de l'installation de Windows.

Vue d'ensemble des variantes

Normal

Cette option permet un démarrage standard de Windows 95.

Journal de démarrage (\BOOTLOG.TXT)

Pendant le démarrage de Windows, un fichier d'évènements est créé, appelé BOOTLOG.TXT. En cas de problème, vous le consulterez à l'aide d'un éditeur de texte. Il note toutes les opérations effectuées et en indique l'issue, succès (LoadSuccess) ou échec (LoadFailed).

```
Bootlog.txt - Bloc-notes
Fichier  Édition  Recherche  ?
LoadStart = C:\WIN95\Fonts\serife.fon
LoadSuccess = C:\WIN95\Fonts\serife.fon
LoadStart = C:\WIN95\Fonts\sserife.fon
LoadSuccess = C:\WIN95\Fonts\sserife.fon
LoadStart = C:\WIN95\Fonts\coure.fon
LoadSuccess = C:\WIN95\Fonts\coure.fon
LoadStart = C:\WIN95\Fonts\symbole.fon
LoadSuccess = C:\WIN95\Fonts\symbole.fon
LoadStart = C:\WIN95\Fonts\smalle.fon
LoadSuccess = C:\WIN95\Fonts\smalle.fon
LoadStart = C:\WIN95\Fonts\MODERN.FON
LoadSuccess = C:\WIN95\Fonts\MODERN.FON
LoadSuccess = user.exe
LoadStart = MSGSRV32.EXE
LoadSuccess = MSGSRV32.EXE
Init = Final USER
InitDone = Final USER
Init = Installable Drivers
InitDone = Installable Drivers
Init = TSRQuery
InitDone = TSRQuery
```

Les bases de Windows 95

C 3

R 6

C'est un moyen rapide de détecter la cause d'un problème de démarrage et d'identifier le fauteur de trouble, en général un pilote de périphérique.

Remarque

En cas de procédure de démarrage problématique, il se peut que Windows refuse totalement d'entrer en action. Revenez au DOS pour lire le fichier BOOTLOG.TXT, par exemple avec le programme EDIT.

Mode sans échec

Avec cette option, Windows est chargé avec les paramètres par défaut. Ne sont chargés que les pilotes absolument indispensables, les connexions réseau et le CD-ROM n'étant pas activés.

Remarque

Les modifications dans le menu *Démarrer* seront effectuées par *Paramètres/Panneau de configuration*. Cela signifie que vous aurez à charger ultérieurement tous les pilotes de périphérique. C'est un moyen de détecter l'origine du problème.

Mode sans échec avec un support réseau

La différence avec l'option précédente est qu'elle active la connexion réseau.

Confirmation pas à pas

Pendant la procédure de démarrage, le système demande de valider l'exécution de chaque ligne de commande. Un message signale le succès ou l'échec de la ligne, ce qui est aussi un moyen de dépister les erreurs.

Ligne de commande uniquement

Les fichiers de démarrage CONFIG.SYS et AUTOEXEC.BAT sont exploités, mais Windows 95 n'est pas chargé. Cette variante permet l'accès au niveau du DOS. Attention : il s'agit du nouveau DOS, celui de Windows 95.

Remarque

La nouvelle version DOS de Windows 95 ne se distingue que très peu de la version 6.22.. Il s'agit essentiellement d'améliorations au niveau de l'interpréteur de commandes (fichier COMMAND.COM) et de quelques nouvelles commandes. De plus, Windows et son DOS utilisent des pilotes 32 bit. Nous aurons l'occasion d'y revenir dans les chapitres suivants.

Les applications DOS problématiques, par exemple certains jeux qui refusent de fonctionner sous forme de fenêtres, peuvent être lancées à partir du DOS.

Invite MS-DOS en mode sans échec uniquement

Si vous choisissez cette option, même les fichiers de démarrage du DOS ne seront pas exploités.

Vous vous retrouverez devant une machine "vierge et immaculée", sans aucun pilote, et avec MS-DOS comme système d'exploitation.

Version MS-DOS précédente

Si le menu de démarrage contient cette option, c'est que deux versions de DOS sont en place sur la machine : le DOS de Windows et votre version précédente. C'est alors cette ancienne version qui sera exécutée.

Quitter Windows 95

Windows 95 a été conçu comme un système d'exploitation autonome. C'est pourquoi le fait de quitter la session Windows signifie également l'arrêt du travail sur la machine. Avec Windows 95, il est essentiel de ne pas couper simplement la machine en fin de travail, mais de quitter le système dans les

Les bases de Windows 95

C 3

R 6

règles de l'art, c'est-à-dire en passant paradoxalement aussi par le menu *Démarrer* et sa commande *Arrêter* qui vous donne accès à 4 options de clôture de la session Windows :

Arrêter l'ordinateur

Vous activerez cette option lorsque votre travail sur la machine sera terminé et que vous souhaitez éteindre cette dernière. Toutes les modifications des paramètres de Windows seront enregistrées et toutes les données en mémoire seront sauvegardées sur le disque dur. Un message vous indiquera à quel moment vous pourrez éteindre la machine.

Remarque

La combinaison de touches **Ctrl+Alt+Suppr** permet éventuellement de redémarrer la machine.

Redémarrer l'ordinateur

A la différence de la méthode précédente, cette option redémarre automatiquement la machine.

Remarque

Si vous avez modifié des paramètres du système qui ne sont pris en compte qu'après un redémarrage, activez cette option, elle vous évitera de couper entièrement le système.

Redémarrer l'ordinateur en mode MS-DOS

Là également, l'environnement Windows est sauvegardé et la machine retourne au mode MS-DOS. Vous emploierez cette méthode pour certains programmes MS-DOS refusant de fonctionner sous Windows ou pour Windows 3.x si vous l'avez conservé sur votre machine.

Remarque

Windows reste en arrière-plan, avec une activité réduite au strict minimum. En tapant EXIT ou WIN, l'environnement Windows est rétabli.

Cette option est à ne pas confondre avec l'option *Invite MS-DOS uniquement*, du menu de démarrage. Ici, Windows garde le contrôle complet de la machine, ce qui n'est pas le cas avec le menu de démarrage.

Fermer toutes les applications et ouvrir une session sous un nom différent

Cette option ferme l'ensemble des applications actives, abandonne l'éventuelle connexion réseau et prépare la session d'un autre utilisateur. Le nouvel utilisateur devra indiquer son nom et son mot de passe.

Remarque

Cette option sera employée si vous avez mis en place divers profils utilisateur sur l'ordinateur. Chaque profil est doté d'un mot de passe spécifique. Cette technique permet à chaque utilisateur d'une même machine d'organiser son espace de travail personnel, avec son environnement, ses affichages, son propre menu *Démarrer* et son *Bureau*. Les profils permettent également de verrouiller l'accès à certains dossiers du système. Une installation réseau n'est pas nécessaire.

Vous en saurez plus dans le chapitre traitant du *Panneau de configuration*.

Quitter Windows en cas de nécessité absolue

Du fait de son architecture 32 bit, cette situation extrême n'intervient plus que très rarement, comparativement aux versions précédentes.

Un plantage total n'est cependant jamais à exclure, une application peut rester sans réaction, etc. Dans ce cas :

1 La combinaison de touches **Crtl**+**Alt**+ **Suppr.** fonctionne toujours, encore dans Windows 95. La différence est qu'elle ne déclenche plus automatiquement un redémarrage à chaud.

2 Les programmes actifs sont présentés sous forme de liste et il est possible de fermer individuellement chacune d'elles, évitant ainsi une bonne partie des pertes de données.

3 Si vous activez une seconde fois **Ctrl**+**Alt**+**Suppr.**, un redémarrage à chaud est exécuté.

Les bases de Windows 95

C 3

R 6

7   Les composants de l'interface de travail

Si votre journée de travail commence par le démarrage de Windows 95, vous serez confronté en premier lieu au *Bureau*. Cette interface de travail est une représentation digitale d'un véritable bureau. Sur le Bureau, vous retrouverez (presque) les mêmes éléments que sur votre bureau en bois. Tous les composants que vous allez côtoyer dans Windows sont appelés des objets.

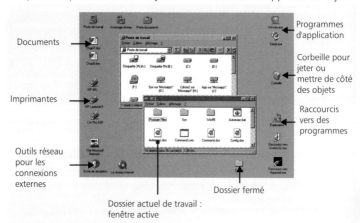

Documents

Imprimantes

Outils réseau
pour les
connexions
externes

Programmes
d'application

Corbeille pour
jeter ou
mettre de côté
des objets

Raccourcis
vers des
programmes

Dossier fermé

Dossier actuel de travail :
fenêtre active

➤   Certains de ces objets sont posés sur le bureau, au démarrage du système. Mais vous pourrez en déposer d'autres à cet endroit et aménager ce bureau à votre convenance.

Les divers types d'objets

Les objets du Bureau ont des fonctions variées. La gamme va de la suppression ou l'impression de fichiers aux connexions réseau, en passant par l'accès aux différents supports de données. Certains objets sont des dossiers, un double clic dessus en assurant l'ouverture et affichant le contenu. D'autres sont des fichiers, un double clic les charge avec leur application source.

Vous rencontrerez ces icônes partout dans Windows, elles ne sont pas une exclusivité du Bureau.

Dossier

Un dossier est un élément de rangement dans lequel vous placerez des textes, des tableaux ou des programmes. Un dossier peut également contenir d'autres dossiers. Pour ouvrir un dossier, faites un double clic dessus : une fenêtre en affiche le contenu.

Remarque

Les dossiers de Windows 95 sont identiques à ce que vous avez pu connaître dans les versions précédentes de Windows (et même sous DOS), mais en ces temps reculés on les appelait des répertoires.

Certains dossiers, par exemple la Corbeille, sont dotés d'icônes particulières.

Objets avec des propriétés particulières

Corbeille

Certaines icônes, telles que *Imprimantes* ou *Voisinage réseau*, offrent un accès à des périphériques physiques. D'autres sont des outils concrets sur le Bureau, par exemple Poste de travail ou Corbeille.

Remarque

Ces ustensiles sont directement utilisables, si vous faites par exemple glisser un document sur l'icône d'une imprimante, il est imprimé.

Fichiers de données

Les textes, tableaux, graphiques et autres, en l'occurrence tous les documents que vous créez avec vos applications, peuvent être posés, sous forme d'objets, sur le Bureau.

Programmes

Timtel.exe

Une icône de programme matérialise un fichier exécutable, donc un outil du type traitement de texte, tableur ou autre, permettant d'effectuer un travail.

Raccourcis

Raccourci vers
Sndrec32.exe

Dans le travail quotidien avec Windows 95, les raccourcis sont des éléments absolument déterminants.

Les bases de Windows 95

C 3

R 7

Les raccourcis sont des pointeurs vers un fichier ou un dossier précis. L'icône du raccourci est exactement la même que celle du fichier original, à part une petite flèche incurvée, dans le coin inférieur gauche.

Un double clic sur un raccourci déclenche exactement la même action que le double clic sur le fichier original : le programme est chargé, le dossier est ouvert, etc. La seule différence entre le raccourci et l'original est que le raccourci n'est qu'un pointeur et ne prend donc que très peu de place.

Déplacer des objets

Que faire pour ranger les icônes différemment sur le Bureau, comment les déplacer ? Voici la solution :

1 Cliquez sur l'objet à déplacer et maintenez le bouton de la souris enfoncé.

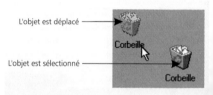

L'objet est déplacé

L'objet est sélectionné

Corbeille

Corbeille

2 Déplacez l'objet en gardant toujours le bouton enfoncé.

3 A l'endroit voulu, relâchez le bouton de la souris.

Remarque

Pendant le déplacement, l'icône originale reste en place. Elle disparaît de cet endroit et prend sa nouvelle position dès que le bouton de la souris est lâché.

Il vaut mieux déposer un objet à un emplacement inoccupé de l'écran. Les objets ont l'habitude de réagir les uns en fonction des autres si vous les superposez. Nous aurons l'occasion de revenir sur ces réactions dans la suite.

Si, en cours de déplacement, vous soyez apparaître un symbole de sens interdit (un cercle barré), cela signifie que l'emplacement cible est "tabou". Ainsi, vous ne pourrez pas déplacer la Corbeille sur une icône d'imprimante.

Sélection multiple d'objets

Il est parfaitement possible de déplacer simultanément plusieurs objets, à condition de les sélectionner tous avant l'opération. Voici comme effectuer une sélection multiple :

1 Enfoncez et maintenez la touche **Ctrl**, puis cliquez avec le bouton gauche de la souris sur les objets à sélectionner.

2 Si vous avez sélectionné un objet par mégarde, cliquez simplement dessus en maintenant la touche **Ctrl** enfoncée.

Par cette technique, vous pourrez activer ou désactiver la sélection d'un objet, comme s'il s'agissait d'un interrupteur. Voici une autre variante de sélection multiple :

1 Placez le pointeur à un emplacement vide de la fenêtre et enfoncez le bouton gauche de la souris. Maintenez-le et tirez la souris pour tracer un cadre de sélection autour des icônes des objets à sélectionner.

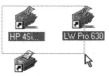

2 Dès que le bouton de la souris est relâché, touslesobjetsplacésdanslecadresontautomatiquement sélectionnés.

Remarque

La sélection de plusieurs objets est intéressante pour un déplacement, mais vous l'emploierez également pour des suppressions ou des copies.

Ces techniques vous permettront de sélectionner des objets dans d'autres dossiers ou dans l'Explorateur.

Activer des objets

Indépendamment de son type, le moyen le plus rapide d'activer un objet est le double clic avec le bouton gauche de la souris.

Les bases de Windows 95

C 3

R 7

Selon le type d'objet, l'action déclenchée sera différente :

➤ Ouverture du dossier sous forme de fenêtre

➤ Chargement d'une application

➤ Chargement d'un fichier de données dans son application source et affichage à l'écran.

Menu contextuel

Autre forme d'activation : un clic avec le bouton droit de la souris sur un objet appelle son menu contextuel. Ce menu met à votre disposition des commandes permettant d'éditer cet objet.

Pour faire disparaître à nouveau le menu contextuel, sans lancer une de ses commandes, cliquez à un emplacement vierge de l'interface de travail ou appuyez sur **Echap**.

Que signifie "Travailler en orientation objet" ?

En parlant de Windows 95, il est un terme qui revient fréquemment, c'est celui de "Travail orienté objet". De quoi s'agit-il ? Dans les versions précédentes de Windows, et plus encore avec les lignes de commande de MS-DOS, les programmes étaient les éléments principaux. Ils devaient être chargés, avant de pouvoir choisir un fichier à ouvrir et à éditer.

En orientation "objet", vous ne serez plus confronté en première ligne aux applications. Elles travaillent en arrière-plan. La première ligne est occupée par les objets (textes, graphiques, tableaux, etc.) sur lesquels vous souhaitez agir.

Un double clic charge automatiquement l'application concernée et le fait de faire glisser l'objet sur un outil (Corbeille ou Imprimante) déclenche une action. D'autre part, la forme des icônes (Corbeille, Dossier) et leur comportement rappellent à s'y méprendre des actions bien réelles de la vie quotidienne.

Résultat : Bon nombre d'opérations peuvent être effectuées de manière intuitive, sans aucune connaissance technique particulière.

8   Manipulation de fenêtres

Les fenêtres vous seront présentées à l'ouverture d'un objet. Une fenêtre peut afficher aussi bien un programme chargé que le contenu d'un dossier.

➤ Vous pourrez les déplacer, en modifier la taille, les réduire en icône ou les fermer.

➤ Si l'écran est encombré par un trop grand nombre de fenêtres, vous pourrez les organiser astucieusement.

➤ Les manipulations de base sont toujours les mêmes : en fonction du contenu de la fenêtre, la barre de menu vous proposera diverses commandes. C'est à ce niveau que se situe la différence majeure entre une fenêtre d'application et une fenêtre de dossier.

Remarque

Chaque fenêtre a sa propre barre de menus. Dans une fenêtre d'application, le contenu de cette barre dépend du programme. S'il s'agit d'une fenêtre de dossier, vous trouverez par défaut, à quelques rares exceptions près (Corbeille, Explorateur), les mêmes menus. Il s'agit de *Fichier*, *Edition*, *Affichage* et *?* . Nous y reviendrons.

N'ayez crainte : les fenêtres de dossier sont très souples en matière de mode d'affichage et de fonctionnalités. Selon les besoins, vous pourrez également afficher une barre d'outils et une barre d'état, modifier la taille des icônes, trier les objets ou encore appeler des informations complémentaires.

La barre de titre

Dans Windows 95, les barres de titre sont toujours constituées des mêmes éléments : du côté gauche, l'icône du menu système, suivie, à droite, du nom de l'objet représenté par la fenêtre (dossier, programme) et, tout à droite, des boutons.

Les bases de Windows 95

C 3

R 8

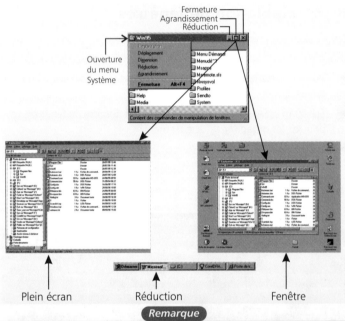

Plein écran   Réduction   Fenêtre

Remarque

➤ En fermant une fenêtre de programme, vous mettez également fin au travail avec ce programme.

➤ La barre de titre de la fenêtre active est rehaussée de couleur, les barres de titre des fenêtres inactives étant grisées.

➤ Une fenêtre est activée en cliquant dessus avec la souris.

➤ Les fenêtres réduites en icône ne sont pas fermées, les applications ne sont pas abandonnées, elles continuent leur action à l'arrière-plan. Les fenêtres réduites peuvent être restaurées rapidement par l'intermédiaire de la Barre des tâches.

➤ Un double clic du bouton gauche de la souris sur un emplacement vierge de la barre de titre d'une fenêtre permet de basculer du mode fenêtre au mode plein écran et inversement.

➤ Le menu Système de la barre de titre est ouvert si vous faites un clic sur l'icône placée tout à gauche de la barre de titre. Vous y trouverez des commandes de modification de l'apparence de la fenêtre, ainsi que la commande de fermeture. Mais comme toutes ces opérations sont réalisables plus rapidement par les boutons ou par la souris, ce menu n'a pas un intérêt majeur.

➤ Il est possible également d'utiliser la Barre des tâches pour gérer les fenêtres. Un clic avec le bouton droit sur un emplacement vierge de la Barre des tâches ouvre son menu contextuel, avec les commandes correspondantes. Nous y reviendrons.

Modifier les dimensions d'une fenêtre

Dans le travail quotidien, il vous arrivera fréquemment de changer la taille des fenêtres. La seule condition pour cette opération est que la fenêtre en question soit affichée au premier plan. Il doit impérativement s'agir de la fenêtre active, qui en général le deviendra lorsque vous aurez cliqué dessus, à moins qu'un message affiché n'attende de votre part une réponse ou une réaction prioritaire.

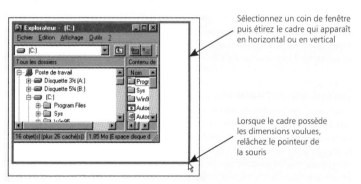

Sélectionnez un coin de fenêtre puis étirez le cadre qui apparaît en horizontal ou en vertical

Lorsque le cadre possède les dimensions voulues, relâchez le pointeur de la souris

Les bases de Windows 95

Remarque

Pour amener une fenêtre au premier plan, cliquez sur n'importe quelle portion visible de cette fenêtre ou sur son icône dans la Barre des tâches.

Il est recommandé de redimensionner les fenêtres à l'aide de la souris, mais l'opération est parfaitement réalisable par le clavier (avec l'aide du menu Système ou de la Barre des tâches).

C 3

R 8

Déplacer une fenêtre

La fenêtre peut être librement déplacée à l'écran, à condition que vous n'ayez pas opté pour l'affichage plein écran.

1 Cliquez sur la barre de titre de la fenêtre.

2 Gardez le bouton de la souris enfoncé.

3 Faites glisser ainsi la fenêtre à sa nouvelle place.

4 Relâchez le bouton de la souris.

> **Remarque**
>
> Lors du déplacement, un cadre indique la future position de la fenêtre. La taille de la fenêtre n'est pas affectée par le déplacement.

Barres de défilement

Les barres de défilement servent à faire défiler le contenu de la fenêtre ouverte. Il existe une barre de défilement verticale et une autre barre horizontale. Celles qui vous sont présentées sont fonction de la masse d'informations contenues dans la fenêtre, du volume et de la localisation de celles-ci.

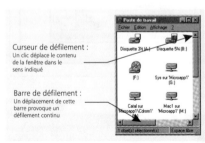

Curseur de défilement :
Un clic déplace le contenu de la fenêtre dans le sens indiqué

Barre de défilement :
Un déplacement de cette barre provoque un défilement continu

Remarque

Si vous maintenez le bouton de la souris enfoncé après un clic sur une des flèches, le déplacement au travers de la fenêtre sera continu.

La position du repère dans la barre de défilement vous donne une indication approximative de l'endroit où vous vous situez dans la fenêtre.

Si vous faites un clic directement sur une zone vierge de la barre de défilement, le déplacement correspondra à la taille de la fenêtre.

Fermer une fenêtre

Les méthodes de fermeture des fenêtres sont extrêmement variées. Voici les plus rapides.

➤ Cliquez sur le bouton de fermeture, tout à droite de la barre de titre de la fenêtre.

➤ Ouvrez le menu *Fichier* de la fenêtre et activez la commande *Fermer*, *Quitter*.

➤ Pour fermer la fenêtre active, activez les touches **Alt**+**F4**.

➤ Les objets représentés sous forme d'icône dans la Barre des tâches peuvent être fermés directement, sans avoir à les ouvrir sous forme de fenêtre. Cliquez avec le bouton droit sur l'icône et activez la commande *Fermer* du menu contextuel.

Remarque

Si vous fermez la fenêtre active de votre Bureau, en fonction de l'objet dont il s'agit, vous refermerez un dossier ou quitterez un programme.

9   Manipulation des menus

Parmi les innovations de Windows 95, il y a une procédure particulièrement pratique : les menus imbriqués.

Si vous avez ouvert par exemple la fenêtre *Poste de travail* et si vous souhaitez travailler avec le menu *Affichage*, procédez ainsi :

C 3

R 9

1 Cliquez dans la barre des menus sur le nom *Affichage*.

2 Faites glisser le pointeur de la souris sur les différentes commandes. Si la commande où est placé le pointeur est équipée d'un sous-menu, celui-ci s'ouvre automatiquement.

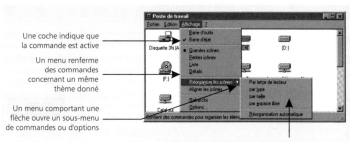

Une coche indique que la commande est active

Un menu renferme des commandes concernant un même thème donné

Un menu comportant une flèche ouvre un sous-menu de commandes ou d'options

Un sous-menu est ouvert automatiquement lorsque la souris active la commande de menu correspondante

3 Sélectionnez la commande voulue d'un clic sur le bouton gauche de la souris.

Remarque

Par défaut, toutes les fenêtres de Windows 95 disposent d'une barre de menus contenant au minimum les menus *Fichier*, *Edition*, *Affichage* et *?* (menu *Aide*).

Si vous travaillez au clavier, vous pourrez activer les menus par la touche **Alt**, puis vous déplacer dans les menus et les commandes par les flèches de direction. Les sous-menus s'ouvrent également par les flèches de direction.

La barre d'état affiche pour chaque commande sélectionnée dans les menus une brève explication.

Dans les fenêtres de dossier, le contenu des menus sera fonction de l'objet sélectionné dans la fenêtre.

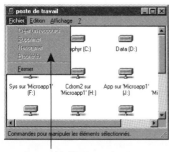 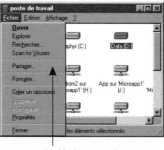

Aucun objet n'étant marqué,
les commandes sont désactivées

Un objet étant marqué,
les commandes sont activées

➤ Les applications disposent de menus qui leur sont propres, de même que certains dossiers spéciaux (par exemple la Corbeille ou l'Explorateur).

➤ Les fenêtres peuvent aussi afficher une barre d'outils et une barre d'état. Ces éléments seront activés ou désactivés au gré des besoins.

Menus contextuels

Le bouton droit de la souris permet de dérouler le menu contextuel. Il s'agit d'un menu dont les commandes sont fonction du contexte dans lequel le menu a été appelé.

Ils sont à votre disposition sur le Bureau, dans tous les dossiers et dans la plupart des applications Windows 95, par exemple WordPad.

Voici comment utiliser ces menus contextuels :

1 Cliquez avec le bouton droit sur un emplacement libre ou sur un objet.

2 Déplacez-vous avec le pointeur de la souris dans ce menu.

Un menu contextuel
avec un sous-menu

Les bases de Windows 95

C 3

R 9

Un clic du bouton gauche lance une des commandes.

Vous constaterez qu'en général ce menu contextuel est bien conçu et affiche la commande que vous cherchiez pour éditer l'objet.

10 La Barre des tâches

L'ancien Gestionnaire des tâches des versions précédentes de Windows est remplacé dans Windows 95 par la Barre des tâches. Ses fonctions ont été étendues.

Par défaut, cette barre est placée tout en bas de l'écran, et il n'est pas besoin de l'activer, comme c'était le cas du Gestionnaire de tâches. Grâce à elle, vous garderez toujours un oeil sur les dossiers ouverts et les programmes en cours. Elle permet avant tout de basculer instantanément d'un objet à l'autre.

Un clic de souris sur un des boutons de cette Barre des tâches restaure la fenêtre correspondante et l'affiche au premier plan.

Eléments de la Barre des tâches

Menu Démarrer

Fenêtre réduite

Options diverses

Remarque

Pratique : vous pourrez y placer les versions réduites en icône des dossiers les plus courants. Ils ne prendront ainsi que peu de place et seront disponibles à tout moment.

Tous les objets ouverts apparaissent dans la Barre des tâches - même ceux qui ne sont pas réduits en icône. La Barre des tâches sert à basculer rapidement d'une fenêtre ouverte à l'autre.

Si vous avez ouvert beaucoup de fenêtres et si la désignation de leur bouton dans la barre commence à être difficilement lisible, placez simplement le pointeur de la souris sur un bouton, son libellé complet vous sera présenté dans une bulle.

Si vous placez le pointeur de la souris sur l'horloge, la bulle affichera la date du jour.

A côté de l'horloge, d'autres icônes peuvent apparaître, affichant par exemple des informations sur la connexion modem, le travail d'une imprimante ou accédant au réglage du volume si vous faites un clic sur le haut-parleur.

Basculer d'une fenêtre à l'autre par la Barre des tâches

Si vous avez ouvert plusieurs fenêtres, il se peut que ces fenêtres se superposent et que les plus petites "disparaissent" littéralement derrière les plus grandes. La Barre des tâches permet de garder le contact avec ces fenêtres masquées, car chaque fenêtre y est matérialisée par un bouton. Un simple clic sur le bouton de la fenêtre cachée et la voici à nouveau au premier plan.

Déplacer la Barre des tâches

Par défaut, la Barre des tâches est placée le long du bord inférieur de l'écran. Mais vous pouvez la déplacer le long d'une autre bordure.

1 Cliquez avec le bouton gauche sur un emplacement vierge de la Barre des tâches ou sur l'horloge et maintenez le bouton enfoncé.

2 Déplacer le pointeur sur la bordure de votre choix.

3 Relâchez le bouton.

Dans un positionnement vertical et étroit, vous ne verrez plus correctement les désignations des boutons.

Les bases de Windows 95

C 3

R 10

Modifier la taille de la Barre des tâches

Si vous avez ouvert plusieurs fenêtres, la Barre des tâches peut devenir difficile à lire et à exploiter, les boutons étant réduits à leur strict minimum.

Dans ce cas, pensez à adapter la hauteur de la Barre des tâches à vos besoins, les boutons se répartiront sur l'ensemble de l'espace affecté à la barre et redeviendront lisibles.

1 Placez le pointeur de la souris sur la bordure de la Barre des tâches, jusqu'à ce qu'il se transforme en une double flèche.

2 Enfoncez et maintenez le bouton gauche de la souris tout en déplaçant cette bordure.

3 Relâchez le bouton.

Organiser automatiquement les fenêtres par la Barre des tâches

Vous connaissez certainement les commandes d'organisation des fenêtres des anciennes versions de Windows. Les fenêtres ouvertes peuvent être organisées en cascade, en mosaïque horizontale ou verticale. Désormais, ces commandes se trouvent dans la Barre des tâches. Voici comment y accéder :

1 Cliquez avec le bouton droit sur un emplacement vierge de la Barre des tâches.

2 Faites votre choix parmi les trois options.

> Cascade
> Mosaïque horizontale
> Mosaïque verticale
>
> Réduire toutes les fenêtres
>
> Propriétés

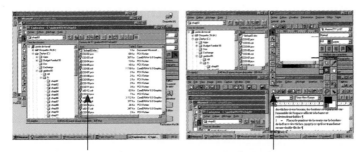

Fenêtres en cascade   Fenêtres en mosaïque

Les bases de Windows 95

Très pratique : l'option Réduire toutes les fenêtres permet de ranger instantanément le Bureau.

Remarque

Les commandes d'organisation des fenêtres ne sont applicables qu'aux fenêtres ouvertes sur le Bureau. Les fenêtres réduites de la Barre des tâches ne sont pas concernées.

Pour inverser la manoeuvre, procédez de la même façon. Le menu contextuel proposera alors la commande d'annulation requise (par exemple Annuler Cascade).

Si vous faites un clic avec le bouton droit de la souris sur un des boutons de la Barre des tâches, c'est son menu contextuel qui vous sera présenté. Vous pourrez fermer la fenêtre ou en modifier la position et la taille.

Un clic avec le bouton droit sur l'horloge ouvre un menu contextuel proposant de régler la date et l'heure.

Si une icône d'imprimante est affichée dans la Barre des tâches, un double clic ouvrira une fenêtre contenant des informations sur l'état de la commande d'impression et des possibilités de manipulation. C'est le pendant du Gestionnaire d'impression de l'ancienne version de Windows.

C 3

R 10

Paramètres de la Barre des tâches

Pour modifier les paramètres de la Barre des tâches :

1 Cliquez avec le bouton droit sur un emplacement vierge de la barre.

2 Appelez la commande *Propriétés* dans le menu
contextuel.

3 Activez l'onglet *Options de la barre des tâches*.

4 Activez ou désactivez les cases à cocher, au gré de vos besoins.

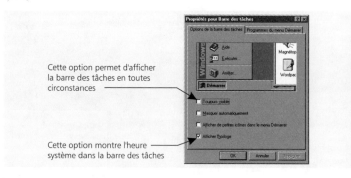

Cette option permet d'afficher
la barre des tâches en toutes
circonstances

Cette option montre l'heure
système dans la barre des tâches

5 Cliquez sur OK.

Travailler avec l'ancien Gestionnaire de tâches

Les combinaisons de touches bien connues de l'ancien Gestionnaire de
tâches, **Alt** + **Tab** et **Alt** + **Echap**, sont toujours en activité dans la Barre
des tâches de Windows 95.

Alt + Tab - Aperçu de toutes les fenêtres ouvertes

La combinaison **Alt** + **Tab** affiche une fenêtre contenant une icône et le nom de toutes les fenêtres ouvertes. Voici comment l'utiliser :

1 Enfoncez d'abord la touche **Alt** et maintenez-la.

2 Appuyez ensuite sur la touche **Tab**. La fenêtre du Gestionnaire de tâches est affichée. Elle contient les icônes des fenêtres actives et leur désignation.

3 En appuyant à répétition sur **Tab**, vous déplacerez pas à pas le cadre de sélection.

4 Si vous relâchez les touches, la fenêtre sélectionnée est immédiatement ouverte sur le Bureau.

> **Remarque**
>
> Cette combinaison de touches est très pratique si vous avez masqué la Barre des tâches et qu'elle n'est pas disponible.

Alt + Echap - Basculer d'une fenêtre ouverte à l'autre

La combinaison **Alt** + **Echap** fonctionne de la manière suivante :

1 Enfoncez et maintenez la touche **Alt**.

2 Appuyez sur **Echap**.

3 En appuyant à répétition sur **Echap**, vous activerez successivement les différents boutons de la Barre des tâches. Les fenêtres ouvertes sont appelées au premier plan les unes après les autres.

Les bases de Windows 95

C 3

R 10

4 Lorsque vous aurez trouvé la fenêtre recherchée, relâchez les touches.

> **Remarque**
>
> Cette combinaison de touches est très pratique si vous avez masqué la Barre des tâches et qu'elle n'est pas disponible.

11 Le menu Démarrer - Lancer des programmes

Le menu Démarrer est le remplaçant de l'ancien Gestionnaire de programmes. Il permet de lancer des programmes, d'appeler le Panneau de configuration, d'activer l'Aide, de lancer la fonction de recherche et de quitter Windows.

> **Remarque**
>
> Contrairement au Gestionnaire de programmes, le menu Démarrer ne permet pas seulement de lancer des applications, mais aussi d'ouvrir des dossiers (Panneau de configuration, Imprimantes, dossiers personnels, etc.).

Utilisation du menu Démarrer

Le menu Démarrer est employé exactement comme les menus de fenêtre ou les menus contextuels :

1 Cliquez sur le bouton *Démarrer* de la Barre destâches.

2 Déplacez le pointeur sur les commandes du menu, naviguez dans les niveaux inférieurs, jusqu'à trouver celle que vous cherchez.

3 Lancez la commande voulue d'un clic du bouton gauche.

Les bases de Windows 95

(Remarque)

Si vous cliquez avec le bouton droit de la souris sur le bouton *Démarrer* de la Barre des tâches, un menu contextuel vous proposera soit le lancement de l'Explorateur soit celui de la fonction de recherche. Vous pourrez également y ouvrir le dossier contenant les composants de ce menu Démarrer. Le moyen le plus rapide pour personnaliser le menu Démarrer consiste à glisser dans ce dossier des raccourcis des applications voulues.

Le menu Démarrer est ouvert également par les touches **Ctrl + Echap**.

Les composants du menu Démarrer

Les éléments mentionnés dans la suite de ces explications sont les composants par défaut du menu Démarrer, ceux que vous trouverez au premier démarrage de Windows 95.

Par la suite, vous aurez certainement à coeur de personnaliser ce menu, d'y rajouter des objets personnels ou de supprimer des éléments standard. Nous verrons dans la suite comment personnaliser ce menu.
☞ *Consultez la rubrique N° 26 pour plus d'informations.*

Le menu Programmes

Derrière ce menu se cachent d'autres menus déroulants, contenant des programmes exécutables ou des groupes de programmes. Le plus simple est de se déplacer dans ces menus et sous-menus avec la souris et de lancer le programme voulu d'un clic.

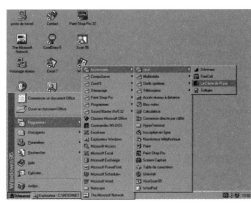

☞ *Consultez la rubrique N° 20 pour démarrer des applications.*

C 3

R 11

Le menu Documents

Ouvrez ce menu pour obtenir une liste des derniers fichiers édités. Cette liste peut contenir des fichiers de tous types.

Les 15 derniers fichiers édités vous sont ainsi proposés, vous pourrez les rappeler d'un simple clic de souris. Le programme nécessaire à l'édition du fichier sera bien évidemment chargé aussi.

Le menu Paramètres

Le menu Paramètres donne accès aux dossiers Panneau de configuration et Imprimantes, ainsi qu'à la Barre des tâches.

Remarque

Dans le dossier Panneau de configuration, vous trouverez le nécessaire complet pour le paramétrage de Windows 95 et la gestion de composants Windows installés ou des périphériques connectés.

☞ *Consultez la rubrique N° 30 pour plus d'informations.*

Le dossier Imprimantes permet l'installation, la configuration et l'édition des imprimantes connectées.

☞ *Consultez la rubrique N° 29 pour plus d'informations.*

La commande Barre des tâches permet de paramétrer le menu Démarrer et la Barre des tâches.

☞ *Consultez la rubrique N° 26 pour plus d'informations.*

Le menu Rechercher

La commande *Rechercher* appelle la fonction de recherche de Windows 95. Elle permet de trouver dossiers et fichiers sur la machine locale, dans le réseau ou même dans MS Network (le nouveau système de transfert de données à distance de Microsoft).

Plusieurs onglets servent de définir les critères de recherche. Le résultat de la recherche peut être enregistré, et vous pourrez même effectuer des opérations sur les fichiers directement dans la fenêtre de recherche.
☞ *Consultez la rubrique N° 21 pour plus d'informations.*

Le menu Aide

Ce menu lance la vaste fonction d'aide de Windows 95. Elle fournit des informations sur les nouveautés de Windows 95, les procédures de travail, propose une fonction de recherche qui vous guidera au travers de cette aide et vous pourrez même demander main forte à des Assistants pour exécuter certaines actions.
☞ *Consultez la rubrique N° 14 pour plus d'informations.*

La commande Exécuter

la commande *Exécuter* sert à lancer directement des applications, en particulier celles qui ne sont accessibles dans le menu Programmes. Vous devrez en connaître le chemin d'accès complet mais vous pourrez piloter le chargement par des paramètres complémentaires.

Remarque

Cette technique de lancement des applications est à recommander pour les programmes utilisés occasionnellement et pour les programmes lancés depuis des supports amovibles, par exemple le lecteur de CD-ROM ou de disquette.

La commande Arrêter

Pour terminer votre travail avec Windows 95, sélectionnez cette commande.

Plusieurs options vous sont proposées, pour l'arrêt et pour un éventuel redémarrage.

☞ *Consultez la rubrique N° 6 pour plus d'informations.*

Les bases de Windows 95

C 3

R 11

12 Manipulation des boîtes de dialogue

Les boîtes de dialogue permettent la communication entre un programme et son utilisateur. Dans le cas le plus simple, la boîte de dialogue apparaît en guise d'information, le système indiquant par exemple à l'utilisateur que l'imprimante n'a plus de papier. D'autres boîtes de dialogue demandent une prise de décision, par exemple "Voulez-vous enregistrer les modifications avant de quitter ? ".

Une autre utilité des boîtes de dialogue est de vous permettre la personnalisation de votre environnement de travail.

Nouveauté dans les boîtes de dialogue de Windows 95 : le concept d'onglet, permettant de structurer des thèmes complexes. Chaque aspect de ce thème sera présenté sous forme d'un onglet, que vous activerez d'un clic de souris.

Si vous avez modifié certains paramètres ou choisi d'autres options, vous validerez ces options par le bouton OK.

Les composants d'une boîte de dialogue

Selon sa fonction, une boîte de dialogue peut contenir des éléments très divers.

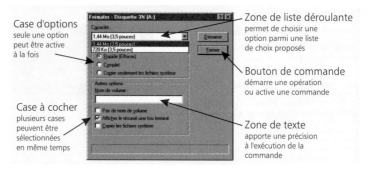

Case d'options
seule une option
peut être active
à la fois

Case à cocher
plusieurs cases
peuvent être
sélectionnées
en même temps

Zone de liste déroulante
permet de choisir une
option parmi une liste
de choix proposés

Bouton de commande
démarre une opération
ou active une commande

Zone de texte
apporte une précision
à l'exécution de la
commande

> **Remarque**

En principe, le bouton le plus couramment activé de la boîte de dialogue est présélectionné. Vous le reconnaîtrez car il doté d'un cadre ombré. Pour l'activer, appuyez simplement sur la touche **Entrée**. Dans beaucoup de listes déroulantes, vous avez la possibilité de taper directement la valeur au clavier, dans le champ de saisie, et parfois même des valeurs inexistantes dans la liste.

Zone de liste

Ces zones de liste s'utilisent comme n'importe quelle liste. Elles sont fréquemment employées lorsqu'il s'agit d'assurer une bonne lisibilité et de présenter des informations en un coup d'oeil. A l'inverse des listes déroulantes, cette liste ne peut pas être fermée et nécessite donc plus de place.

> **Remarque**

Les zones de liste ne permettent pas de saisie directe.

Curseurs de réglage

Ces curseurs sont une alternative pratique aux saisies de valeurs numériques. Ils sont faciles à utiliser :

1 Cliquez sur le curseur et maintenez le bouton de la souris.

2 Déplacez le curseur à la position voulue.

3 Relâchez le bouton de la souris.

Manipulation par le clavier

Toutes les boîtes de dialogue peuvent être servies au clavier.

➤ La touche **Entrée** correspond au bouton OK

C 3

R 12

➤ **Echap** correspond à la touche Annuler

➤ Avec **Tab** ou **Maj** + **Tab**, vous sauterez d'une rubrique à l'autre, en avant ou en arrière.

➤ Certains éléments contiennent, dans leur désignation, des caractères soulignés. Avec **Alt**+ le caractère souligné, vous activerez ou désactiverez l'option en question.

13 Imprimer avec Windows 95

La situation ordinaire reste inchangée : en principe, les impressions sont lancées à partir des applications. Vous venez de rédiger une lettre et cliquez sur le bouton marqué d'une imprimante, dans la barre d'outils, pour lancer l'impression. Mais là aussi, il y a maintenant moyen de travailler en orientation "objet". Exemple : Vous travaillez avec Corel-DRAW et il vous vient à l'esprit que vous devez rapidement imprimer un courrier pour le poster avant la fermeture du bureau.

1 Cherchez le fichier à imprimer. Passez par exemple dans l'Explorateur par l'intermédiaire de la Barre des tâches (ou chargez-le s'il n'est pas encore actif).

2 Cliquez avec le bouton droit sur l'icône de ce document et gardez le bouton enfoncé.

3 Faites glisser l'icône sur l'icône de l'imprimante, qui se trouve sur le Bureau ou dans le dossier Poste de travail.

4 Relâchez le bouton de la souris. Le programme source du document est chargé et l'impression est lancée.

☞ *Consultez la rubrique N° 29 pour plus d'informations sur les imprimantes et leur mode de fonctionnement.*

Le dossier Imprimantes

Toutes les tâches ayant trait à l'impression des documents sont gérées en central dans le dossier Imprimantes.

Remarque

Même si vous imprimez à partir d'une application, c'est le dossier Imprimantes qui entre en action.

Chaque imprimante installée est matérialisée par une icône dans le dossier Imprimantes. Par défaut, vous y trouverez également une icône appelée *Ajout d'imprimante*, destinée à l'installation d'un nouveau périphérique.

Voici les domaines qui y sont rassemblés :

➤ Installation d'imprimantes

➤ Définition de l'imprimante par défaut pour toutes les applications

➤ Paramétrage de l'imprimante par *Fichier/Propriétés*

➤ Gestion des commandes d'impression par *Fichier/Ouvrir*.

Accès au dossier Imprimantes

Par défaut, vous trouverez ce dossier dans le menu Démarrer :

1 Cliquez sur le bouton *Démarrer* de la Barre des tâches.

2 Déplacez le pointeur sur la commande *Paramètres*.

3 Sélectionnez la commande *Imprimantes*, dans le sous-menu.

Les bases de Windows 95

C 3

R 13

En réalité, le dossier *Imprimantes* est rangé dans le dossier Poste de travail et vous y accéderez également par cette voie.

> **Remarque**
>
> Un raccourci vers le dossier Imprimantes se trouve dans le Panneau de configuration.
>
> Si vous créez un raccourci vers le dossier Imprimantes et le déposez sur le Bureau, vous gagnerez du temps pour faire glisser les documents sur les icônes des imprimantes et lancer les impressions.

14 L'Aide de Windows 95

l'Aide de Windows a été largement étendue par rapport aux versions précédentes. Cette aide est un outil qui va bien au-delà du simple affichage de textes explicatifs.

Plusieurs méthodes de recherche vous sont proposées et les Assistants vous prendront par la main pour les procédures les plus complexes.

Activer l'Aide

Tous les chemins mènent à Rome et il en va de même pour l'Aide de Windows. La méthode la plus rapide pour appeler l'Aide dépend de votre situation, dans une application ou dans un programme propre à Windows 95.

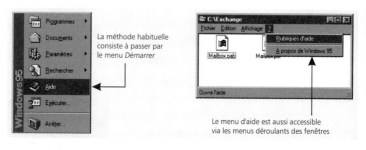

La méthode habituelle consiste à passer par le menu *Démarrer*

Le menu d'aide est aussi accessible via les menus déroulants des fenêtres

Remarque

Dans les boîtes de dialogue, vous trouverez le plus souvent un bouton marqué d'un point d'interrogation, dans le coin droit. Ce bouton appelle une forme particulière d'aide, explicitant les divers éléments de la boîte de dialogue.

A condition d'être dans un programme propre à Windows (par exemple l'Explorateur, MS-Exchange ou MS ScanDisk), le fait d'appuyer sur **F1** appelle la fonction Aide.

Dans la majorité des applications, la touche **F1** sert également à appeler l'Aide. Mais il s'agira cette fois de l'aide interne à l'application et non de l'Aide de Windows.

Utiliser l'Aide

Lorsque vous appelez l'Aide, une fenêtre s'ouvre, présentant trois onglets. Ces onglets correspondent aux différentes méthodes permettant de chercher des sujets ou des thèmes.

Quelle que soit la méthode utilisée, le sujet en question sera toujours affiché dans une fenêtre individuelle. A partir de là, vous pourrez bifurquer vers d'autres sujets, lancer des Assistants, imprimer le texte d'aide ou retourner à la recherche d'un autre sujet. Nous commencerons par étudier les méthodes proposées par les trois onglets, puis l'utilisation générale de la fenêtre de l'Aide.

L'onglet Sommaire de l'aide

En optant pour l'onglet Sommaire de l'aide, l'Aide de Windows 95 vous sera présentée sous forme thématique. Sont d'abord listés les thèmes principaux, structurés eux-mêmes en sous-chapitres. Les thèmes principaux sont représentés par des icônes de livre, les sous-chapitres par un point d'interrogation. Ces sous-chapitres s'ouvrent sous forme de fenêtres individuelles.

Vous vous déplacerez dans cet onglet comme dans une arborescence. Les livres fermés indiquent les embranchements. Un double clic sur un livre ouvert referme la branche. Voici comment appeler une fenêtre d'aide :

Les bases de Windows 95

C 3

R 14

1 Sélectionnez un des thèmes principaux et faites un double clic sur l'icône de livre fermé correspondante.

2 Le livre s'est ouvert et présente un aperçu de son contenu. Choisissez à nouveau un thème et faites un double clic dessus.

3 Si vous êtes arrivé au sujet recherché, vous afficherez le texte d'aide requis en faisant un double clic sur l'icône de point d'interrogation (variante : sélectionnez le thème et cliquez sur *Afficher*).

 Windows affiche le texte dans une nouvelle fenêtre.

L'onglet Index

Cet onglet propose un aperçu alphabétique des thèmes traités dans l'Aide. Deux possibilités pour choisir une entrée d'index : saisir le sujet dans la zone de texte ou feuilleter la liste jusqu'à trouver l'objet.

Zone de texte
Entrez ici le texte ou la partie de texte devant servir à la recherche

Liste de sélection
Choisissez ici la rubrique qui vous intéresse

Cliquez ici pour consulter la rubrique choisie

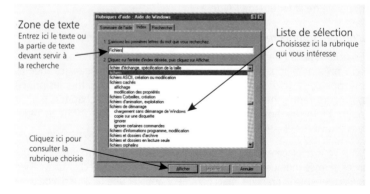

Remarque

Lorsque vous aurez choisi un thème principal, une boîte de dialogue vous présentera une liste permettant de cerner de plus près le concept recherché.

L'onglet Rechercher

Cet onglet met à votre disposition non seulement la liste alphabétique des concepts, mais aussi une fonction de recherche.

La recherche sera ciblée par divers critères.

Indiquez par exemple "Imprimante" et "Réseau" comme critères de recherche, et vous trouverez la liste de tous les thèmes où il est question d'imprimante et de réseau.

Pour exécuter une recherche, procédez comme suit :

1 Tapez un ou plusieurs termes dans la zone de saisie, en les séparant au besoin par un espace.

2 Sélectionnez, dans la liste du milieu, les termes correspondants, pour approfondir la recherche.

3 Sélectionnez un thème dans la liste du bas.

4 Cliquez sur *Afficher*.

Remarque

Lorsque vous affichez l'onglet Rechercher pour la première fois, Windows est d'abord obligé de créer l'index des différents fichiers d'aide.

C 3

R 14

Options de recherche

Un clic sur le bouton *Options* de cet onglet ouvre une boîte de dialogue permettant de paramétrer la recherche.

Les options sont réparties en trois grands domaines :

➤ Vous pouvez saisir plusieurs mots et définir la manière dont leur ordre sera pris en compte dans la recherche.

➤ Vous pouvez déterminer si la recherche doit respecter scrupuleusement l'orthographe indiquée ou si des variations sont permises (par exemples les mots de même racine).

➤ La recherche peut être déclenchée par votre commande ou démarrer immédiatement à la saisie du premier caractères.

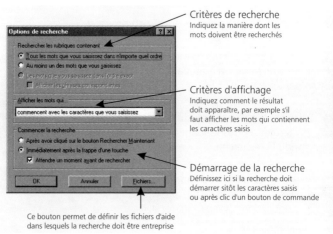

Critères de recherche
Indiquez la manière dont les mots doivent être recherchés

Critères d'affichage
Indiquez comment le résultat doit apparaître, par exemple s'il faut afficher les mots qui contiennent les caractères saisis

Démarrage de la recherche
Définissez ici si la recherche doit démarrer sitôt les caractères saisis ou après clic d'un bouton de commande

Ce bouton permet de définir les fichiers d'aide dans lesquels la recherche doit être entreprise

Texte d'aide et boutons

Le texte d'aide demandé est affiché dans une fenêtre individuelle. Dans certains cas, cette fenêtre sera équipée de boutons. Le texte est une brève explication d'un concept ou d'une procédure, un regroupement de mots-clés ou une liste de sous-éléments concernant un thème.

Cliquez ici pour afficher les onglets généraux de l'aide de Windows

Ce bouton renvoie vers les pages d'aide précédentes

Déterminez ici les options comme Imprimer, Annoter, Copier, etc.

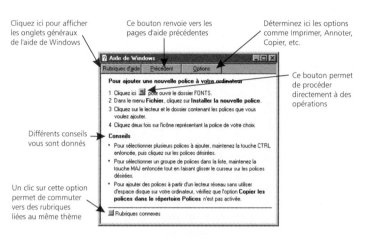

Ce bouton permet de procéder directement à des opérations

Différents conseils vous sont donnés

Un clic sur cette option permet de commuter vers des rubriques liées au même thème

Les bases de Windows 95

Remarque

Cliquez avec le bouton droit sur la fenêtre d'aide. Le menu *Options* vous sera proposé sous forme de menu contextuel. A noter tout particulièrement l'option *Annotation*, permettant à l'utilisateur d'enregistrer ses propres commentaires dans l'Aide, et l'option *Imprimer*.

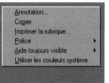

L'Assistant

Cliquez sur ce bouton pour lancer l'Assistant intégré. Il vous aidera dans l'exécution des diverses actions et vous emmènera jusqu'à votre objectif.

Les Assistants sont une technique utilisée dans nombre de procédures et d'actions, en particulier :

➤ l'installation de nouveaux périphériques ou programmes

➤ la configuration du menu Démarrer et l'intégration de programmes

➤ le paramétrage d'instruments MIDI

C 3

R 14

➤ le réglage d'un Joystick

➤ l'installation de MS-Exchange sur votre machine.

➤ l'installation d'une liaison directe par câble

En principe, l'Assistant vous guide pas à pas au travers de plusieurs fenêtres, vous demande les renseignements dont il a besoin pour effectuer le travail et vérifie la consistance de vos saisies. Vous pouvez décider à tout moment de revenir à la fenêtre précédente pour y modifier un paramètre. Lors de l'installation de Windows 95, vous avez déjà fait connaissance de l'Assistant d'installation.

Il a pris en charge la préparation du système en vue de l'installation de Windows 95, la vérification de l'espace disque disponible, l'installation des imprimantes et des programmes, la création d'une disquette de démarrage et bien d'autres choses.

L'Aide intuitive

Dans les boîtes de dialogue, vous trouverez fréquemment, à côté des boutons de fermeture, dans le coin supérieur droit, un bouton marqué d'un point d'interrogation. Derrière ce bouton se cache une Aide directe. Si vous activez cette fonction, un menu déroulant affiche des explications sur les composants de la boîte de dialogue.

1 Cliquez sur le bouton d'Aide directe.

2 Avec le pointeur équipé d'un point d'interrogation, cliquez sur le composant pour lequel vous souhaitez des explications.

3 Refermez le menu déroulant en cliquant à un emplacement vierge de la boîte de dialogue.

Opérations sur les fichiers

Dans ce chapitre, nous étudierons comment gérer le contenu du disque dur, créer un dossier et le renommer ou copier, déplacer, supprimer et restaurer des fichiers. A la différence des versions précédentes, où les opérations de fichiers étaient cantonnées au Gestionnaire de fichiers, Windows 95 est en mesure de gérer fichiers, programmes et dossiers en toutes circonstances. Les opérations de fichiers peuvent être entreprises en différents endroits et avec des outils très variés. C'est à vous de définir, en fonction de votre environnement de travail, quelle est la méthode la plus pratique, la plus simple et la plus rapide. La contrepartie de cette diversité est un certain risque de trouble dans l'esprit des utilisateurs. Le meilleur remède est encore de passer en revue les diverses méthodes et les outils correspondants.

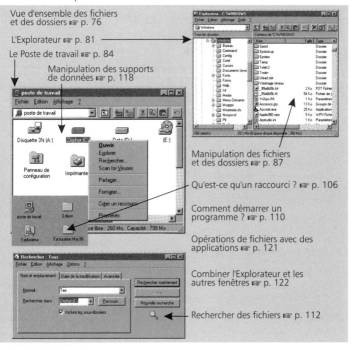

Vue d'ensemble des fichiers
et des dossiers ☞ p. 76

L'Explorateur ☞ p. 81

Le Poste de travail ☞ p. 84

Manipulation des supports
de données ☞ p. 118

Manipulation des fichiers
et des dossiers ☞ p. 87

Qu'est-ce qu'un raccourci ? ☞ p. 106

Comment démarrer un
programme ? ☞ p. 110

Opérations de fichiers avec des
applications ☞ p. 121

Combiner l'Explorateur et les
autres fenêtres ☞ p. 122

Rechercher des fichiers ☞ p. 112

C 4

R 15

15 Vue d'ensemble des fichiers et dossiers

Fondamentalement, rien n'a changé dans ce domaine. Les fichiers (textes, images, graphiques, tableaux, en clair tout ce qui se trouve sur votre disque dur) sont rangés dans des dossiers (appelés répertoires, dans le temps). Les dossiers peuvent contenir des sous-dossiers, selon le principe bien connu des poupées russes.

A l'inverse des versions antérieures de Windows, Windows 95 gère l'ensemble du contenu du disque dur dans des dossiers - les structures symboliques telles que les groupes de programmes de l'ancien Gestionnaire de programmes n'existent plus. Le meilleur exemple est le Panneau de configuration, qui est un vrai dossier, contenant de vrais programmes de configuration du système. Même la Corbeille et le Bureau sont des dossiers.

La structure des dossiers

Un petit temps d'adaptation est nécessaire - la structure des dossiers n'a plus comme élément principal le répertoire racine du disque dur. La procédure n'est pas physique, elle devient logique : Windows n'est plus "quelque chose" se trouvant sur le disque dur, c'est le contenu du disque dur qui est un élément géré avec Windows.

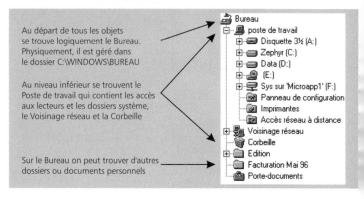

Au départ de tous les objets se trouve logiquement le Bureau. Physiquement, il est géré dans le dossier C:\WINDOWS\BUREAU

Au niveau inférieur se trouvent le Poste de travail qui contient les accès aux lecteurs et les dossiers système, le Voisinage réseau et la Corbeille

Sur le Bureau on peut trouver d'autres dossiers ou documents personnels

Les fichiers et leurs icônes

Les fichiers - le contenu des dossiers - sont matérialisés par un nom et par une icône. L'affectation d'un symbole à un type de fichiers permet une meilleure vue d'ensemble des listes de fichiers. En voici quelques exemples:

➤ les programmes d'application connus de Windows 95 sont représentés par une icône individuelle.

➤ Les fichiers créés par un programme sont dotés de la même icône que ce programme.

➤ Certains types de fichiers sont représentés par des icônes indépendantes de tout programme - par exemple les fichiers d'Aide ou encore les fichiers DLL.

➤ Les programmes MS-DOS ont tous la même icône générique.

Remarque

L'enregistrement des types de fichiers des principales applications sous Windows est effectué automatiquement au moment de l'installation. Par cet enregistrement, Windows mémorise le lien entre un type de fichier (par exemple XLS) et une application (par exemple EXCEL). Un double clic sur le fichier charge le programme et le fichier en question.

Il est possible de définir manuellement le rapport entre un type de fichier et une application. C'est par exemple ce que vous ferez si vous souhaitez ouvrir les images bitmap non pas avec l'accessoire Paint, mais avec Corel PhotoPaint.

Les extensions des fichiers enregistrés (BMP, DOC) peuvent être masquées. Nous verrons comment les afficher ou les masquer.

Comment trouver un dossier

Pour exécuter une opération de fichiers, il faut d'abord afficher l'endroit où le fichier est rangé. Pour cela, vous vous déplacerez dans l'arborescence jusqu'à trouver le bon dossier. Pour arriver rapidement à ce dossier, Windows 95 met plusieurs techniques à votre disposition.

➤ Avec l'Explorateur, vous pouvez vous promener partout, il offre une vue d'ensemble du système. Toutes les opérations de fichiers sont réalisables dans l'Explorateur.

Inconvénient : dans le cas d'arborescences longues et complexes, la recherche peut durer un certain temps. Les procédures de copie dans l'Explorateur ne sont pas forcément évidentes, car il faut afficher à la fois la source et la cible.

➤ Le dossier placé directement sur le Bureau, Poste de travail, offre un accès rapide à l'ensemble des lecteurs (et même à les machines du réseau, en cas de connexion), des imprimantes et du Panneau de configuration.

Vous utiliserez ce dossier pour activer par exemple le lecteur de disquette comme cible d'une opération de copie ou pour afficher le contenu d'un dossier du disque dur dans une fenêtre individuelle.

➤ Il est également possible de déposer sur le Bureau un dossier de travail ou de créer un raccourci sur le Bureau, pointant vers ce dossier. Ce sera à vous d'aménager l'accès le plus rapide en fonction des circonstances et des besoins.

Remarque

En principe, l'endroit d'où vous lancez l'action n'a aucune importance, les étapes de l'action et les outils disponibles sont toujours les mêmes. Essayez toujours de choisir la solution la plus rapide. Voyez la rubrique N° 24 à ce propos.

Les dossiers ouverts par le Poste de travail, par un raccourci ou de toute autre façon, ne sont que des présentations spécialisées de l'Explorateur. A partir de chaque dossier, il est possible de revenir à l'arborescence complète de l'Explorateur.

Les outils dont vous disposez dans tous les dossiers

Lorsque vous aurez trouvé le bon dossier, vous pourrez faire appel, pour l'exécution de l'action, à la panoplie d'outils suivante : menus contextuels, barre de menus et barre d'outils. Ces outils sont les mêmes dans tous les dossiers, les explications suivantes ne sont pas spécifiques d'un environnement particulier.

(Remarque)

En général, ces outils peuvent être employés alternativement : beaucoup de commandes sont accessibles à la fois par le menu contextuel, la barre des menus ou la barre d'outils.

La barre de menus

Ces trois menus sont à votre disposition dans tous les dossiers. Seul l'Explorateur offre en complément le menu *Outils*.

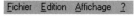

A noter : les noms des menus sont identiques, mais leur contenu dépend de l'objet sélectionné.

La barre d'outils

Pour activer la barre d'outils d'un dossier :

1 Ouvrez le menu *Affichage* d'un clic avec le bouton gauche.

2 Cliquez sur la commande *Barre d'outils*.

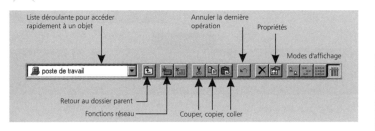

Opérations sur les fichiers

C 4

R 15

La barre d'état

Si elle n'est pas visible :

1 Ouvrez le menu *Affichage* d'un clic avec le bouton gauche.

2 Cliquez sur la commande *Barre d'état*.

La barre d'état a deux fonctions :

➤ Dès qu'un menu déroulant est ouvert et que le pointeur de la souris se promène sur les commandes, cette barre d'état affiche une courte explication de la commande en question.

Si vous vous déplacez dans l'Explorateur, au travers des répertoires et des fichiers, et sélectionnez des objets ou des dossiers, la présentation est modifiée.

➤ La ligne est fractionnée et fournit des informations sur le nombre d'objets contenus dans le dossier ouvert. Si vous avez sélectionné des objets, elle affichera également la taille en Ko de la sélection.

Remarque

Exception : Si vous cliquez sur un dossier dans la fenêtre de l'Explorateur, la barre d'état présentera le nombre d'objets contenus dans ce dossier et la taille du dossier. Vous y verrez également l'espace disque disponible.

16 L'Explorateur

L'explorateur est l'outil généraliste de Windows 95. Il permet d'effectuer toutes les actions. Si vous avez travaillé avec des versions précédentes de Windows, vous lui trouverez certainement un air de famille avec le Gestionnaire de fichiers, mais ses possibilités vont bien au-delà.

Toutes les fenêtres de dossiers sont représentées de la même façon, seul l'Explorateur propose quelques fonctions complémentaires et dispose d'une présentation particulière.

L'Explorateur permet de visualiser d'un coup d'oeil l'ensemble de la structure des dossiers et du système.

Vous pourrez y travailler, déplacer des fichiers, en supprimer, lancer des applications, mais aussi ouvrir le Panneau de configuration.

Remarque

L'Explorateur contient un menu supplémentaires par rapport aux fenêtres de dossiers traditionnelles. Deux commandes de ce menu *Outils* sont également disponibles dans la barre d'outils, il s'agit de *Connecter un lecteur réseau* et *Déconnecter un lecteur réseau*, alors que les commandes *Atteindre* et *Rechercher* sont résolument nouvelles. La commande *Rechercher* correspond à la commande Rechercher du menu Démarrer, la commande *Atteindre* permettant de sauter directement à un dossier en en indiquant le chemin d'accès complet (par exemple D:\Donnees\Lettres). Cette technique n'est à utiliser qu'en dernier recours, si l'arborescence est véritablement trop confuse.

Démarrer l'Explorateur

La méthode conventionnelle par le menu Démarrer :

1 Cliquez sur le bouton Démarrer, en bas à gauche de la Barre des tâches.

2 Placez le pointeur sur la commande *Programmes*.

C 4

R 16

3 Placez le pointeur sur la commande *Explorateur Windows*.

4 Cliquez avec le bouton gauche sur la commande pour ouvrir l'Explorateur.

Remarque

Il existe d'autres moyens de lancer l'Explorateur, dont certaines plus rapides. L'Explorateur est très certainement le programme le plus utilisé dans Windows 95, aussi est-il recommandé de procéder ainsi :

➤ Cliquez avec le bouton droit de la souris sur le bouton Démarrer. Dans le menu contextuel, appelez la commande *Explorer*.

➤ Avez-vous le clavier Natural Keyboard de Microsoft ? Enfoncez simultanément la touche **Win** (la seconde en partant de la gauche, en bas) et la touche **E**, pour lancer l'Explorateur.

➤ Créez un raccourci vers l'Explorateur sur le Bureau.

➤ L'explorateur est accessible à partir de nombreux objets du Bureau, mais sous une forme contextuelle. Ainsi, pouvez-vous faire un clic avec le bouton droit sur l'icône Poste de travail et choisir la commande *Explorer* dans le menu contextuel.

L'explorateur se ferme comme n'importe quelle autre fenêtre. Le plus simple est de cliquer sur la case de fermeture de la barre de titre ou d'employer les touches **Alt** + **F4**.

La fenêtre de l'Explorateur

Le fractionnement vertical de la fenêtre de l'Explorateur, en deux zones distinctes, rappellera certainement des souvenirs aux utilisateurs de Windows 3.x.

Du côté gauche sont affichés tous les objets et dossiers, sous forme d'arborescence, avec comme tronc central le Bureau. A l'inverse du Gestionnaire de fichiers, cet affichage ne se limite pas à un lecteur, l'ensemble des lecteurs disponibles est présenté, et même d'autres objets tels que

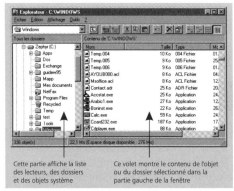

Cette partie affiche la liste des lecteurs, des dossiers et des objets système

Ce volet montre le contenu de l'objet ou du dossier sélectionné dans la partie gauche de la fenêtre

le Panneau de configuration, les imprimantes, la Corbeille et le Voisinage réseau. Dans la partie droite de la fenêtre est affiché le contenu du dossier ouvert. Il peut s'agir de fichiers mais aussi d'autres dossiers.

Remarque

La séparation verticale de la fenêtre de l'Explorateur peut être déplacée : cliquez dessus avec la souris et tirez-la dans la direction voulue en maintenant le bouton enfoncé. A l'inverse de l'ancien Gestionnaire de fichiers, il n'est pas possible de travailler dans l'Explorateur avec plusieurs fenêtres (par exemple pour plusieurs lecteurs). Ceci suppose une autre technique pour l'affichage simultané de la source et de la cible en vue d'une opération de copie. Si la cible ne peut être affichée simultanément à la source du fait de la longueur de l'arborescence, vous utiliserez par exemple la fonction de copie pour placer une copie du fichier source dans le Presse-papiers, puis afficherez la cible et appellerez la commande *Edition/Coller*. Autre solution : ouvrir le dossier cible par l'intermédiaire du Poste de travail ou d'une autre session de l'Explorateur.

Afficher ou masquer les niveaux

L'existence de niveaux inférieurs dans la structure des dossiers est reconnaissable au signe "+" placé devant un nom de dossier.

Un clic avec le bouton gauche sur le signe "+" déroule la liste des sous-dossiers.

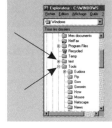

Opérations sur les fichiers

C 4

R 16

Le signe "+" devient alors un signe "-". Un clic sur le signe "-" masque à nouveau les sous-dossiers.

17 Le Poste de travail

 Le dossier Poste de travail est un des rares objets se trouvant sur le Bureau directement après l'installation de Windows 95.

Un double clic avec le bouton gauche sur l'icône de Poste de travail ouvre le dossier. Il permet un accès à l'ensemble des ressources du système : lecteurs, imprimantes et Panneau de configuration.

Alors que l'Explorateur est plutôt destiné à une vue d'ensemble, le Poste de travail permet pour sa part l'édition ciblée de dossiers précis.

Avantage : lorsque vous avez trouvé le dossier voulu, vous pouvez le conserver à l'écran ou le réduire en icône et le déposer dans la Barre des tâches. Ceci vous permettra d'y revenir instantanément, par la suite, tout en travaillant en parallèle sur d'autres domaines de l'arborescence, par exemple avec l'Explorateur.

☞ *Vous trouverez plus d'informations sur le dossier Imprimantes à la rubrique N° 29.*
   Vous trouverez plus d'informations sur le dossier Panneau de configuration à la rubrique N° 30.

Remarque

Un clic avec le bouton droit sur l'icône Poste de travail du Bureau ouvre un menu contextuel dans lequel vous trouverez, en plus des commandes de connexion ou de déconnexion des lecteurs réseau, la commande *Propriétés*. Cette option fournit des informations sur les performances de votre système, sur les matériels installés et les pilotes correspondants, ainsi que l'organisation de la mémoire.

Déplacement dans la structure des dossiers

Comme d'ordinaire dans les fenêtres de dossier (sauf l'Explorateur), un double clic ouvre le sous-dossier.

Par défaut, chaque
dossier ouvert donne
lieu à une nouvelle fe-
nêtre. Le dossier pa-
rent reste, pour sa
part, ouvert égale-
ment. Les fenêtres se
superposent les unes
aux autres, la fenêtre
active étant celle de
premier plan. En cli-
quant sur la barre de
titre d'une fenêtre,
vous la ramènerez au
premier plan.

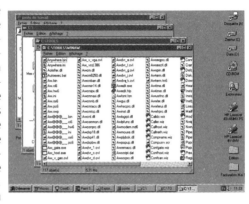

La technique est simple : il suffit d'ouvrir le dossier dans le dossier, dans
le dossier, etc. Le problème est que l'écran est très rapidement encombré.

Remarque

Il existe une possibilité rapide de fermer en une seule opération l'ensemble
des fenêtres ouvertes : si vous fermez une fenêtre "enfant" d'un clic de
souris, tout en enfonçant la touche **Maj**, toutes les fenêtres de ses dossiers
parents se referment également.

Parcourir tous les dossiers dans la même fenêtre

La solution pour lutter contre ce chaos de fenêtre : fermer un dossier
dès l'ouverture d'un de ses sous-dossiers. Ceci permet de n'employer
qu'une fenêtre unique, quel que soit le niveau hiérarchique requis. Voici
comment faire :

1 Cliquez sur le menu *Affichage* du dossier
principal, Poste de travail.

2 Activez la commande *Options*.

Opérations sur les fichiers

C 4

R 17

3 Activez l'onglet *Dossier* et cochez la case *Parcourir les dossiers avec une fenêtre unique pour chaque dossier*.

4 Cliquez sur OK.

Ainsi, chaque dossier ouvert sera affiché dans la même fenêtre, le dossier parent étant automatiquement fermé.

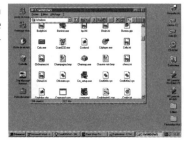

Remonter au dossier parent

Le dossier parent est automatiquement fermé, nous venons de le voir. Comment, dans ces circonstances, remonter dans l'arborescence ? La solution est simple :

 Cliquez sur le bouton *Dossier parent* de la barre d'outils. A chaque activation de ce bouton, vous remonterez d'un niveau, jusqu'à revenir au Poste de travail.

Commuter vers d'autres domaines de l'arborescence

A partir de n'importe quel dossier, vous avez accès à l'ensemble de l'arborescence et vous pouvez ainsi basculer rapidement vers une autre branche (par exemple le lecteur de CD-ROM ou un autre disque dur).

1 Cliquez sur la flèche placée tout à gauche du champ à liste de la barre d'outils.

2 Dans la liste ainsi déroulée, cliquez sur le dossier dans lequel vous souhaitez vous rendre.

Malheureusement, cette liste ne fournit qu'un accès assez primaire aux autres domaines, vous pourrez vous rendre dans un autre lecteur, mais pas dans un dossier précis de ce lecteur.

> **Remarque**
>
> Le bouton *Dossier parent* et la zone de liste fonctionnent également dans l'Explorateur, mais n'y ont pas un intérêt très grand, car le changement de domaine est beaucoup plus simple.

18 Manipulation des fichiers et des dossiers

Dans le travail avec les fichiers et dossiers (copie, déplacement, création, suppression et autres), que vous soyez dans l'Explorateur ou dans une fenêtre de dossier normale n'a aucune incidence, ni d'ailleurs la façon de l'ouvrir.

Sélectionner des fichiers

Pour exécuter des opérations sur les fichiers, il faut d'abord sélectionner le ou les fichiers à traiter.

Sélectionner un objet unique

Pour sélectionner un objet unique, il suffit de cliquer dessus avec le bouton gauche de la souris.

Sélection multiple

Si les objets à sélectionner sont placés côte à côte ou les uns sous les autres, tracez un cadre de sélection avec la souris :

1 Placez le pointeur à un emplacement vierge de la fenêtre, à côté des objets à sélectionner.

Opérations sur les fichiers

C 4

R 18

2 Maintenez le bouton gauche enfoncé et tracez un cadre autour de ces objets.

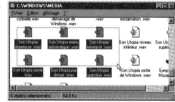

En variante, vous pouvez également cliquer sur le premier des objets à sélectionner, enfoncer et maintenir la touche **Maj**, puis cliquer sur le dernier objet à sélectionner.

Pour effectuer une sélection multiple d'objet non-adjacents, vous utiliserez la touche **Ctrl** :

1 Enfoncez et maintenez la touche **Ctrl**.

2 Cliquez successivement sur tous les fichiers à sélectionner.

La touche **Ctrl** sert également à annuler la sélection. Si vous avez intégré par mégarde un objet dans la sélection, vous l'en retirerez en cliquant dessus tout en appuyant sur la touche **Ctrl**.

Sélectionner tous les objets

Voici comment sélectionner tous les fichiers :

1 Ouvrez le menu *Edition*.

2 Cliquez sur la commande *Sélectionner tout*.

Encore plus rapide : la combinaison de touches **Ctrl** + **A**.

Inverser la sélection

Cette option sera bien utile si vous ne voulez sélectionner par exemple que 47 fichiers sur les 50 contenus dans la fenêtre.

1 Sélectionnez les trois fichiers dont vous ne voulez pas.

2 Ouvrez le menu *Edition*.

3 Activez la commande *Inverser la sélection*.

Hormis les trois fichiers que vous aurez sélectionnés au départ (ceux dont vous ne voulez pas), tout le reste sera marqué.

Présenter le contenu des dossiers

Les quatre variantes se distinguent par la taille des icônes et par les informations affichées.

Le plus simple est de basculer d'une présentation à l'autre par les boutons de la barre d'outils.

La barre de menus et le menu contextuel proposent par ailleurs les mêmes options.

Opérations sur les fichiers

C 4

R 18

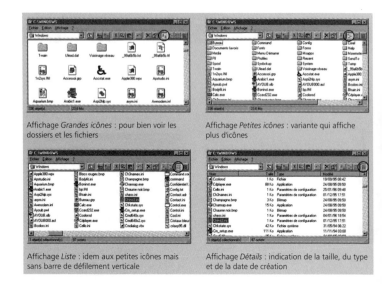

Affichage *Grandes icônes* : pour bien voir les dossiers et les fichiers

Affichage *Petites icônes* : variante qui affiche plus d'icônes

Affichage *Liste* : idem aux petites icônes mais sans barre de défilement verticale

Affichage *Détails* : indication de la taille, du type et de la date de création

Localiser rapidement un fichier

Un dossier contenant beaucoup de fichiers devient très rapidement confus et la recherche d'un fichier précis par la barre de défilement est fastidieuse. La solution :

1 Cliquez n'importe où dans la liste des fichiers.

2 Tapez le premier caractère du nom du fichier recherché. Chaque caractère complémentaire vous rapproche du but.

Chemins DOS et Extensions DOS

Il est possible que vous ne voyiez que les "prénoms" de vos fichiers. Inhabituel si vous aviez l'habitude des versions précédentes de Windows et des trois caractères d'extension des noms de fichier. Dans Windows 95, le principe veut que les icônes et les noms de fichiers longs rendent l'affichage de ces extensions superflues.

Mais si vous le souhaitez, vous pourrez les réafficher ainsi :

1 Cliquez sur le menu *Affichage* et la commande *Options*.

2 Passez sur l'onglet *Affichage*.

3 Enlevez la coche devant l'option *Masquer les extensions DOS pour les types de fichiers enregistrés*.

Remarque

Cette boîte de dialogue contient d'autres options intéressantes :

➤ en plaçant une coche dans la case correspondante, il est possible d'afficher le chemin d'accès du dossier actif dans la barre de titre.

➤ il est possible de masquer les types de fichiers qui ne présentent pas d'intérêt pour vous (par exemple les fichiers système ou les gestionnaires de périphérique).

Trier les fichiers

L'ordre dans lequel les fichiers sont affichés est modifiable. La meilleure solution est de passer en affichage *Détails*, car c'est là que vous trouverez la barre de tri.

Nom	Taille	Type	Modifié

Cliquez simplement sur les boutons et, automatiquement, les fichiers seront triés selon ce critère. Un nouveau clic sur le même bouton inverse l'ordre de tri.

Remarque

Si les icônes sont affichées dans une autre présentation, le tri le plus pratique se fera par le menu contextuel. Cliquez avec le bouton droit sur un emplacement libre de la liste des fichiers. Dans le menu contextuel, choisissez la commande *Réorganiser les icônes* et sélectionnez votre critère de tri dans le sous-menu.

C 4

R 18

Renommer fichiers et dossiers

Renommer un fichier ou un dossier est une opération très simple, encore plus que dans les versions précédentes de Windows. Ceci dit, il y a quelques nouveautés en la matière, nouveautés liées au nouveau système de fichiers et aux noms longs.

Le nouveau système de fichiers

VFAT - le système de fichiers de Windows 95 - est une extension de l'ancien système FAT, permettant l'utilisation de noms de fichiers longs.

Ne s'agissant que d'une modification, ce nouveau système ne demande pas de reformatage du disque dur.

> **Remarque**
>
> Un des inconvénients de VFAT : la plupart des programmes de compression de disque dur sont devenus inutilisables. C'est pourquoi Windows 95 est accompagné de son propre programme de compression (DriveSpace).

Noms de fichiers longs

Les utilisateurs de Windows 95 n'ont plus besoin d'employer des noms de code ou des désignations cryptées pour nommer leurs fichiers, ils peuvent employer des noms de fichiers longs permettant une bien meilleure description du contenu. Fini, le temps des conventions 8.3, avec 8 caractères pour le nom effectif et 3 caractères pour l'extension. Du moins si vous travaillez avec des programmes 32 bit.

➤ Aujourd'hui, un nom de fichier peut s'étendre jusqu'à 255 caractères et les espaces sont autorisés.

➤ Par contre, sont toujours interdits les caractères suivants : / \ , ; : * ? " < > 1/2

➤ Les extensions ont toujours leur utilité, si vous souhaitez que les programmes les reconnaissent.

A noter également que le chemin d'accès complet fait partie du nom du fichier et entre en conséquence dans le décompte des 255 caractères.

Si le fichier se trouve dans le répertoire C:\Windows\Winword\Work, le nom effectif du fichier ne pourra avoir que (255-23) soit 222 caractères.

Problèmes avec les noms de fichiers longs

Windows 95 et les applications qui l'accompagnent, en l'occurrence WordPad et Paint, supportent parfaitement le nouveau système de fichiers, de même que toutes les applications 32 bit (par exemple le package Office de Microsoft, avec Word 95, Excel 95 et PowerPoint 95). Les programmes plus anciens, Windows ou DOS, ne savent pas utiliser ces noms de fichiers longs.

➤ Si vous enregistrez un fichier avec un nom long en partant d'une de ces anciennes applications, vous serez confronté à un message d'erreur.

➤ Les anciens programmes acceptent de charger les fichiers dotés de noms longs. Les noms sont simplement tronqués au moment de leur affichage. Ainsi, si vous avez créé une image avec Paint et si vous l'avez appelée "Graphique pour le projet 12", le système convertira ce nom et affichera "Graphi~1.bmp".

➤ Il est déconseillé d'employer d'anciens utilitaires disque avec Windows 95, car eux aussi risquent fort de "s'étouffer" avec les noms de fichiers longs.

Renommer un fichier

Une des nouveautés de Windows 95 est la possibilité de renommer un objet sans avoir à passer par des menus :

1 Sélectionnez l'objet à renommer.

2 Après une seconde, cliquez une nouvelle fois sur l'objet. Son nom est sélectionné et libre d'édition.

Opérations sur les fichiers

C 4

R 18

3 Remplacez l'ancien nom par le nouveau. Tous les outils d'édition habituels sont à votre disposition (Suppr, Retour arrière, flèches de direction, etc.).

4 Pour valider, appuyez sur **Entrée** ou cliquez à tout autre endroit de l'écran.

Cette technique est applicable à tous les types d'objets.

> **Remarque**
>
> Dans le menu *Fichier* et dans le menu contextuel, vous trouverez toujours la commande *Renommer*, mais la suite des opérations est identique à la procédure que nous venons d'étudier.
>
> Si vous conservez l'affichage des extensions MS-DOS dans vos listes de fichiers, Windows 95 vous avertit qu'en cas de modification de l'extension, le fichier risque de ne plus être utilisable.

Créer un nouveau dossier

Quel que soit l'emplacement où le nouveau dossier doit venir prendre place (Bureau, l'Explorateur ou Poste de travail), la procédure est toujours la même.

1 Cliquez avec le bouton droit à un emplacement vierge du dossier parent.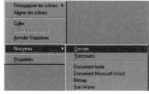

2 Activez dans le menu contextuel la commande *Nouveau*.

3 Cliquez sur la commande *Dossier*.

4 Une icône de dossier apparaît. Le nom par défaut est "Nouveau dossier.

5 Spécifiez le nom de ce nouveau dossier. Il suffit d'effectuer la saisie, elle viendra remplacer directement le nom par défaut.

6 Validez par **Entrée**.

Pour les noms de dossiers, vous n'êtes plus tenus non plus aux anciennes conventions DOS. Le nom du dossier peut s'étendre lui aussi sur 255 caractères. Attention aux applications 16 bit : les noms de dossiers longs sont tronqués.

(Remarque)

Il est possible de créer un nouveau dossier directement par la commande *Enregistrer sous*, dans les applications.

Créer un nouveau fichier

Dans les versions précédentes de Windows, les nouveaux fichiers ne pouvaient être créés que par l'intermédiaire des applications. La philosophie orientée "objet" de Windows 95 a changé tout cela, vous pouvez créer n'importe quel type de fichier, n'importe où, et sans lancer de programme au préalable.

Objectif : rédiger un courrier qui doit être enregistré dans le répertoire Winword\Courriers. Word n'est pas chargé.

Avant	Maintenant
Démarrer Winword	Ouvrir le dossier cible (les plus courants existent sous forme de raccourcis sur le Bureau)
Rédiger le courrier	Créer le nouveau fichier et lui donner un nom
Sélectionner le répertoire voulu, au moment de l'enregistrement du fichier	Lancer le programme par un double clic sur l'icône

1 Ouvrez le dossier dans lequel le nouveau fichier doit venir prendre place.

Opérations sur les fichiers

C 4

R 18

2 Ouvrez le menu contextuel par un clic avec le bouton droit à un emplacement vierge de la fenê-tre du dossier.

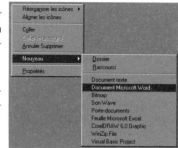

3 Placez le pointeur sur la com-mande *Nouveau*, pour éten-dre le menu.

4 Cliquez sur le type de fichier à créer.

5 Donnez le nom voulu au document vierge.

6 Un double clic sur le document démarre l'application et charge le document vierge.

Remarque

Il existe une autre façon de créer des documents vierges : utiliser un document comme modèle. Admettons que vous ayez besoin d'un courrier adressé au services fiscaux et que ce courrier ressemble trait pour trait à un courrier que vous aviez déjà rédigé le mois dernier. Cliquez sur le document du mois dernier avec le bouton droit de la souris et activez la commande *Nouveau* du menu contextuel. Word est lancé avec l'ancien document. Le nom du nouveau fichier est "Document 1", vous ne risquez donc pas d'écraser l'ancien fichier, et vous pouvez tranquillement procé-der aux quelques modifications requises.

Déplacer et copier des fichiers

Windows 95 propose trois variantes pour la copie et le déplacement de fichiers : par glisser-déplacer (drag and drop), par le Presse-papiers et par la commande *Envoyer vers*. La méthode que vous retiendrez sera fonction de la situation. Vous souhaitez copier dans l'Explorateur ? Entre l'Explorateur et le Poste de travail ? Quelle distance sépare la source de la cible ?

Copier par glisser-déplacer

La technique du glisser-déplacer (ou drag and drop) existe depuis un moment déjà.

Il suffit de faire glisser un objet d'un endroit à un autre et de l'y déposer. La souris devient véritablement le prolongement de votre main.

Voici comment copier ou déplacer des fichiers individuels, des groupes de fichiers, voire le contenu complet d'un dossier dans le cadre d'un même lecteur ou d'un lecteur vers un autre lecteur.

1 Ouvrez le dossier contenant les objets à copier.

2 Cliquez sur l'objet avec le bouton gauche de la souris et tirez-le en maintenant le bouton enfoncé jusqu'à sa destination.

3 Déposez l'objet en relâchant simplement le bouton de la souris.

Opérations sur les fichiers

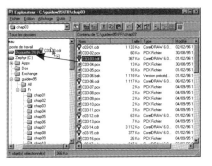

Lorsque vous copiez des objets, ils sont accompagnés pendant le déplacement d'un signe "+".

C 4

R 18

Remarque

Si vous faites glisser un fichier sur un autre lecteur, c'est une copie qui est automatiquement réalisée. Pour effectuer une copie dans le cadre du même lecteur, enfoncez la touche Ctrl pendant le Glisser-Déplacer. Si vous souhaitez effectuer des copies ou des déplacements dans l'Explorateur, l'arborescence ne doit pas être trop longue, car sinon la cible risque fort de ne pas être visible. Dans ce cas, il vaut mieux ouvrir le dossier cible à partir du Poste de travail, dans une fenêtre individuelle, puis de réaliser la copie par le Presse-papiers.

Déplacer par glisser-déplacer

Si la source et la cible sont placées sur le même lecteur, le Glisser-Déplacer aura pour conséquence un déplacement. Voici comment réaliser un déplacement sur un autre lecteur :

1 Cliquez sur l'objet avec le bouton gauche.

2 Faites le glisser en enfonçant la touche **Maj**.

3 Déposez-le ainsi sur la cible.

Glisser-déplacer conditionnel

Avec cette variante, vous aurez l'occasion de déterminer, après avoir déposé l'objet, s'il s'agit d'une copie ou d'un déplacement.

1 Cliquez sur l'objet avec le bouton droit de la souris.

2 Effectuez le Glisser-Déplacer avec le bouton droit.

3 Lorsque vous relâchez le bouton de la souris, un menu contextuel vous propose plusieurs options : à vous de choisir.

Le clavier est inutile dans cette variante, limitant d'autant les risques d'erreur.

Copier et déplacer par le Presse-papiers

L'utilisation du Presse-papiers pour copier ou déplacer des fichiers est recommandée à chaque fois que vous n'êtes pas en mesure d'afficher simultanément la source et la cible de l'opération (par exemple dans l'Explorateur). Elle rendra également bien des services si vous êtes en train de travailler avec le dossier Poste de travail et que vous n'avez qu'une fenêtre unique sous les yeux.

1 Sélectionnez le fichier voulu.

2 Cliquez dans la barre d'outils de la fenêtre de dossier sur le bouton Couper (pour un déplacement) ou Copier (pour une copie).

3 Ouvrez le dossier cible.

4 Cliquez sur le bouton Coller.

> **Remarque**
>
> En variante de la barre d'outils, vous pouvez également faire appel au menu contextuel du fichier sélectionné ou à la barre de menus de la fenêtre.
> ☛ *Consultez la rubrique N° 31 pour plus d'informations à propos du Presse-papiers.*

Copier et déplacer par la commande Envoyer vers

Nouveau et pratique : en utilisant la commande *Envoyer vers* pour une copie ou un déplacement, vous n'aurez plus besoin d'ouvrir le dossier cible.

C 4

R 18

1 Cliquez avec le bouton droit sur le fichier à copier ou à déplacer.

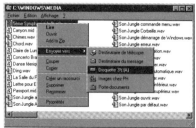

2 Activez la commande *Envoyer vers* du menu contextuel, pour afficher son sous-menu.

3 Faites votre choix dans la liste des destinations proposées.

> **Remarque**
>
> La procédure suit les mêmes règles que le Glisser-Déplacer. Un envoi sur un autre lecteur donnera lieu à une copie. Pour forcer un déplacement, enfoncez la touche **Maj**, au moment du clic sur la cible dans la liste proposée par la commande *Envoyer vers*. Pour effectuer une copie dans le cadre d'un même lecteur, pratiquez de même mais avec la touche **Ctrl**.
>
> Cette procédure trouve tout son intérêt pour des sources et des cibles courantes. Les dossiers répondant à ce critère peuvent être rajoutés à la liste de la commande.

Etendre la liste Envoyer vers

La sélection de la cible dans la liste *Envoyer vers* est maigre au départ. Si vous avez fréquemment à effectuer les mêmes opérations de copie ou de déplacement, avec des sources et des cibles identiques, il est conseillé d'étendre la liste pour intégrer ces dossiers. La fonction *Envoyer vers* est en fait un sous-dossier du dossier Windows 95. C'est dans le dossier SendTo que sont rassemblées toutes les cibles potentielles de la fonction. Il suffit de placer dans ce dossier des raccourcis des dossiers concernés, la liste est ainsi automatiquement étendue.

1 Faites glisser le dossier cible à intégrer dans la liste, avec le bouton droit, jusque sur le dossier SendTo. En cas de problème, vous pouvez parfaitement ouvrir le dossier SendTo par le Poste de travail et chercher le dossier cible dans l'Explorateur.

2 Lorsque vous relâchez le bouton de la souris, apparaît un menu contextuel par lequel vous indiquerez ce qu'il doit advenir du dossier. Choisissez l'option *Créer un ou des raccourci(s) ici*.

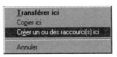

3 La nouvelle cible est intégrée dans la liste de la fonction *Envoyer vers*.

Opérations sur les fichiers

Remarque

Pour garder un maximum de visibilité lorsque les entrées de cette liste de la commande *Envoyer vers* deviennent trop nombreuses, pensez à mettre en place des sous-dossiers.

Annuler des actions

Vous venez de déplacer un fichier dans un autre dossier et vous remarquez soudainement que vous venez de vous tromper de cible ! Pas de souci : inutile de partir à la recherche du dossier cible et de supprimer le fichier.

Cliquez plutôt sur le bouton *Annuler* de la barre d'outils de la fenêtre de dossier.

Remarque

Il est possible de revenir et d'annuler ainsi plusieurs commandes; Vous venez de renommer un fichier, puis l'avez déplacé ? Faites simplement deux clics sur le bouton Annuler.

Supprimer des fichiers et les restaurer

Plusieurs techniques permettent de supprimer des fichiers et des dossiers. Faites votre choix, comme d'habitude, en fonction de la situation.

➤ La touche **Suppr** est toujours une méthode très rapide.

C 4

R 18

➤ La commande *Supprimer* du menu contextuel du fichier à supprimer est parfaite si vous voulez éviter de toucher au clavier.

➤ La solution la plus amusante : faites glisser le fichier avec le bouton gauche de la souris, jusque sur l'icône de la Corbeille. Ce n'est pas la technique la plus rapide, vous ne l'emploierez que si la Corbeille est visible. Windows 95 a placé cette Corbeille directement sur le Bureau au moment de l'installation.

Si cette Corbeille n'est pas indispensable pour supprimer un fichier, elle l'est par contre pour le récupérer, et ceci quelle que soit la méthode de suppression utilisée.

Comme dans la vie de tous les jours, la Corbeille à papiers de Windows doit être vidée pour que son contenu soit définitivement éliminé. Si vous n'avez pas encore vidé la Corbeille, vous pourrez toujours y récupérer les fichiers supprimés et les restaurer (du moins aussi longtemps que vous disposez de suffisamment d'espace disque).

Les fichiers supprimés sont placés dans ce dossier spécial, qui peut occuper par défaut jusqu'à 10 % de l'espace disque (valeur modifiable). Si la Corbeille est pleine, les fichiers qui s'y trouvent depuis la date la plus ancienne seront définitivement supprimés.

La Corbeille remplace dans une certaine mesure l'ancienne fonction Undelete, pour la restauration des fichiers supprimés.

Remarque

La Corbeille n'est rien d'autre qu'un dossier ordinaire, avec des fonctionnalités spécifiques.

Supprimer des fichiers

1 Sélectionnez les fichiers, raccourcis ou dossiers à supprimer.

2 Choisissez une des trois techniques de suppression (menu contextuel, Corbeille ou touche **Suppr**).

3 En fonction de la configuration, une demande de confirmation vous sera présentée, puis les objets sont éliminés de la liste et déplacés dans le dossier de la Corbeille. Une animation matérialise l'opération.

Remarque

Si vous êtes sûr de votre affaire et souhaitez contourner la Corbeille, utilisez la combinaison de touches **Maj** + **Suppr**. Les fichiers sélectionnés seront alors irrémédiablement supprimés.

Avec la commande *Annuler* (par exemple par le bouton de la barre d'outils), la suppression est annulée et les objets retrouvent leur emplacement d'origine.

Restaurer des fichiers

Si vous vous apercevez par la suite que vous avez supprimé des fichiers dont vous aviez encore besoin, procédez ainsi :

1 Ouvrez la Corbeille d'un double clic sur l'icône.

2 Sélectionnez dans la liste des fichiers ceux que vous souhaitez restaurer.

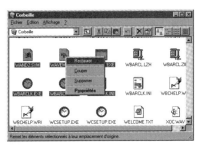

3 Cliquez ensuite avec le bouton droit sur l'un des fichiers de la sélection, pour en ouvrir le menu contextuel, ou ouvrez le menu *Fichier*.

4 Cliquez sur la commande *Restaurer*. Les fichiers reprennent leur place d'origine.

Opérations sur les fichiers

C 4

R 18

> **Remarque**
>
> Si vous supprimez un dossier complet, seuls les fichiers qu'il contient seront placés dans la Corbeille. Lors de la restauration, vous devrez recréer le dossier manuellement.

Vider la Corbeille

Vous pouvez vider complètement la Corbeille ou supprimer définitivement les fichiers qui s'y trouvent.

1 Cliquez avec le bouton droit sur l'icône de la Corbeille.

2 Activez la commande *Vider la Corbeille* dans le menu contextuel.

3 Confirmez votre choix dans la boîte de dialogue suivante. L'ensemble de la Corbeille est irrémédiablement effacé. L'espace correspondant sur le disque dur est à nouveau à votre disposition.

Vider partiellement la Corbeille

Vous voulez visualiser le contenu de la Corbeille et la vider partiellement:

1 Ouvrez la Corbeille d'un double clic sur l'icône.

2 Sélectionnez dans la liste les fichiers à éliminer définitivement.

3 Supprimez ces fichiers par la méthode de votre choix (**Suppr**, bouton Supprimer, etc.).

4 Conformez votre décision dans la boîte de dialogue.

Remarque

Optez pour un affichage de type Détails pour obtenir des informations complémentaires sur l'origine des fichiers et la date de suppression. Vous pourrez les trier selon ces critères.

Chaque disque dur dispose d'un espace réservé à la Corbeille (le dossier Recycled), mais la liste des fichiers présente les fichiers de l'ensemble des disques. La Corbeille est gérée en central par le système.

Opérations sur les fichiers

Configurer la Corbeille

Vous pouvez définir la place réservée à la Corbeille sur le disque dur. Avec une taille importante, la sécurité en sera accrue, mais vous risquez de manquer d'espace disque pour d'autres actions.

1 Cliquez sur l'icône de la Corbeille avec le bouton droit.

2 Activez la commande *Propriétés* dans le menu contextuel.

3 Activez l'onglet *Global* et choisissez entre un même paramètre de taille pour tous les lecteurs du système, ou des paramètres individuels par lecteurs.

C 4

R 18

4 Si vous ne disposez que d'un disque unique ou si vous avez décidé d'utiliser le même paramètre pour tous les disques, vous pourrez ensuite utiliser le curseur de réglage pour définir la taille maximale de cette Corbeille.

5 Si vous préférez configurer individuellement les lecteurs, activez successivement l'onglet de chaque lecteur et utilisez le curseur pour définir le paramètre.

> **Remarque**
>
> Une des cases à cocher permet de demander l'affichage d'une demande de confirmation de suppression.
>
> La case "Ne pas déplacer les fichiers vers la Corbeille. Supprimer immédiatement les fichiers en cas d'effacement" sert à désactiver la Corbeille. Vous y gagnerez en espace disque, mais n'aurez plus l'occasion de restaurer les fichiers supprimés.

19 Qu'est-ce qu'un raccourci ?

Dans le travail courant avec Windows 95, les raccourcis sont des éléments fondamentaux.

 Un raccourci représente en quelque sorte un pointeur vers un fichier ou un dossier précis. L'icône du raccourci est identique à celle de son fichier d'origine, à la différence de la petite flèche courbe, en bas à gauche. Un double clic sur un raccourci a exactement le même effet qu'un double clic sur le fichier original : le programme est chargé, le dossier est ouvert, etc.

La grande différence : comme les raccourcis ne sont que des pointeurs, ils ne prennent pratiquement pas de place.

Vous pouvez en user et en abuser à loisir, à chaque fois que vous souhaitez disposer d'un accès rapide sur un objet.

Conseils pratiques

➤ Créez des raccourcis des principaux programmes utilisés, directement sur le Bureau. Il n'y a pas plus rapide pour lancer une application.

➤ Faites de même pour les objets documents les plus usuels, par exemple votre modèle de lettre standard. Un double clic sur ce raccourci chargera le document et le programme source.

➤ Si vous avez mis en place, sur le disque dur, un dossier de travail ou de projet, placez un raccourci sur le Bureau, vous aurez ainsi directement accès au dossier, sans avoir à le chercher ou à naviguer longuement.

Remarque

Windows utilise également les raccourcis pour son organisation interne. Les fonctions du menu Démarrer ou le dossier Envoyer vers sont basés sur cette technologie.

Créer un raccourci

Plusieurs techniques sont à votre disposition pour cela.

En partant du dossier de l'original

1 Ouvrez le dossier contenant l'original, par exemple avec l'Explorateur.

2 Faites glisser cet original avec le bouton droit de la souris, jusque sur le Bureau (ou à tout autre endroit où vous souhaitez placer le raccourci).

Transférer ici
Copier ici
Créer un ou des raccourci(s) ici
Annuler

3 Relâchez le *bouton*. Un petit menu s'ouvre, dans lequel vous activerez la commande *Créer un ou des raccourci(s) ici*.

4 Le raccourci est mis en place sous forme d'une icône dans le dossier cible. L'original reste bien sûr en place.

C 4

R 19

Remarque

Si vous avez trouvé l'original dans son dossier, vous pouvez également procéder ainsi : Ouvrez son menu contextuel et activez la commande *Créer un raccourci*. L'icône du raccourci est immédiatement mise en place à côté de l'original, il vous reste à la déplacer à l'endroit voulu (en général sur le Bureau).

En partant du dossier cible

1 Dans le dossier cible, par exemple le Bureau, cliquez à un emplacement vierge avec le bouton droit de la souris.

2 Activez la commande *Nouveau* du menu contextuel puis sélectionnez l'option *Raccourci* dans le sous-menu. Cliquez simplement dessus avec le bouton gauche.

3 Windows affiche une boîte de dialogue. Si vous ne connaissez pas le nom et le chemin de l'original, cliquez sur le bouton *Parcourir*.

4 La boîte de dialogue *Parcourir* vous est offerte, par laquelle vous pourrez vous déplacer dans l'arborescence et trouver l'objet original. Une fois trouvé, cliquez sur *Ouvrir*.

5 Le nom et le chemin sont en place dans la première boîte de dialogue et vous pouvez désormais cliquer sur *Suivant*.

6 Si vous le souhaitez, vous pouvez en profiter pour changer le nom du raccourci.

7 Un clic final sur *Suivant* et voici le raccourci dans le dossier cible.

Opérations sur les fichiers

(Remarque)

La suppression d'un raccourci n'a aucune incidence sur l'original.

La copie d'un raccourci sur une disquette n'a aucun sens. Sans l'original, le raccourci n'a aucun effet. Pour la même raison, le raccourci ne fonctionnera pas non plus si l'original est supprimé ou déplacé dans un autre dossier.

Propriétés d'un raccourci

Le raccourci que vous avez créé possède des propriétés fort intéressantes. Elles permettent de lire le chemin d'accès exact au fichier original et aussi d'attribuer des touches d'appel.

1 Cliquez sur le raccourci avec le bouton droit de la souris.

2 Sélectionnez instantanément, par la suite, tout en travaillant en parallèle sur d'autres domaines de l'arborescence, par exemple avec l'Explorateur.

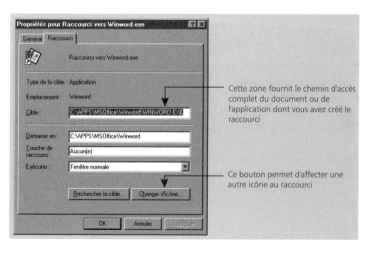

Cette zone fournit le chemin d'accès complet du document ou de l'application dont vous avez créé le raccourci

Ce bouton permet d'affecter une autre icône au raccourci

C 4

R 19

20 Comment démarrer un programme

Il existe au total 5 possibilités pour démarrer un programme :

➤   La technique par défaut, le menu *Démarrer*. Les programmes installés sous Windows 95 sont en général exécutables ainsi.

➤   Lancement par un raccourci : variante rapide qui demande cependant la création du raccourci.

➤   Lancement par le dossier dans lequel se trouve le programme. Peu pratique, à utiliser uniquement pour les programmes déjà en place avant l'installation de Windows 95 et donc non intégrés dans le menu *Démarrer*.

➤   Lancement par la commande *Exécuter* du menu *Démarrer*. Surtout utilisé pour les accès disquette ou CD-ROM, lors de l'installation de nouveaux programmes.

➤   Lancement du programme par un fichier de données.

Nous ne reviendrons pas sur le lancement par le menu *Démarrer* (voir la rubrique N° 11), ni sur le raccourci (voir pages précédentes).

☞   *Consultez la rubrique N° 19 pour plus d'informations sur les raccourcis.*

Lancement par la commande Exécuter

1 Cliquez sur le bouton *Démarrer* de la Barre des tâches pour découvrir la commande *Exécuter*.

2 Un clic sur cette commande ouvre une boîte de dialogue permettant d'indiquer le chemin d'accès complet du programme à ouvrir.

3 Un clic sur le bouton marqué d'une flèche déroule la liste des applications déjà ouvertes par cet intermédiaire.

Remarque

Si vous ne connaissez pas l'emplacement du programme, utilisez le bouton *Parcourir* pour le localiser. Au besoin, vous pourrez lui demander de n'afficher que les programmes exécutables.

L'Explorateur et le Poste de travail

Pour lancer un programme depuis l'Explorateur ou depuis un dossier normal :

1 Naviguez au travers de l'arborescence jusqu'à trouver le programme recherché.

2 Faites un double clic sur le programme.

Lancement par un fichier

Faites un double clic sur un fichier de type enregistré (par exemple un document Word) et automatiquement le programme concerné est chargé avec ce document.

Remarque

Pour connaître les types de fichiers enregistrés sur votre machine (donc associés avec une application), ouvrez la boîte de dialogue *Options* du menu *Affichage*. Ce menu est accessible dans toutes les fenêtres de dossier. Activez l'onglet Type de fichiers, vous y trouverez la liste des types de fichiers enregistrés. Nous aurons l'occasion de revenir sur l'ajout de nouveaux types de fichiers ou la modification des types existants.

Si le programme est déjà lancé, un double clic sur un fichier associé à ce programme ne lance pas une seconde occurrence du programme (comme c'était le cas dans Windows 3.x), le document est chargé dans le programme ouvert.

C 4

R 19

21 Rechercher des fichiers

Où est-il passé ? La question de savoir où est rangé un fichier précis est des plus fréquentes.

Qui peut encore mémoriser aujourd'hui, avec la taille des disques durs actuels, l'organisation complète des dossiers et des sous-dossiers.

La nouvelle fonction de recherche de Windows 95 est si rapide que vous y ferez appel même pour des recherches simples dans l'arborescence.

Vous la préférerez souvent à l'Explorateur, car elle permet de définir des critères avec une telle précision que vous trouvez vos fichiers à tous les coups.

Démarrer la fonction de recherche

Le cas le plus simple : Vous vous rappelez du nom du fichier, du moins en partie, mais vous ne savez plus où vous l'avez rangé. Démarrez la recherche sur la base de ce critère.

1 Cliquez sur le bouton *Démarrer* et appe-lez la commande *Rechercher*. Dans le sous-menu, choisissez *Fichiers et dossiers*.

Si l'Explorateur est actif, vous pourrez également lancer la même commande par le menu *Outils* de l'Explorateur.

2 Définissez la recherche. Si vous avez en tête le nom complet du fichier, saisissez-le dans le champ *Nom-mé*. Si vous ne vous rappelez que d'une partie du nom, tapez simplement cette partie. Vous utiliserez au besoin des

jokers (* et ?), mais ne n'est pas une obligation. Dans la fenêtre de recherche seront affichés tous les fichiers contenant la chaîne spécifiée.

3 Par la liste *Rechercher dans*, vous pourrez préciser le lecteur dans lequel cette recherche doit être effectuée. Pour cibler encore plus le domaine, vous utiliserez le bouton *Parcourir*. Vous aboutirez ainsi dans une arborescence extraite de l'Explorateur, dans laquelle vous sélectionnerez le dossier voulu.

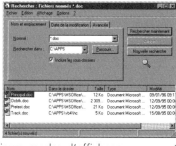

4 Un clic sur OK vous ramène dans la boîte de dialogue de départ. Vous lancerez la recherche par le bouton *Rechercher maintenant*.

Si la recherche est fructueuse, la fonction affiche la liste de tous les fichiers répondant aux critères définis. Cette liste offre les mêmes possibilités que l'Explorateur. Plusieurs modes d'affichage vous sont proposés et vous pourrez y exécuter toutes les opérations de fichiers par les outils habituels (Glisser-Déplacer, menu contextuel, etc.).

Opérations sur les fichiers

(Remarque)

Veillez à activer la case à cocher *Inclure les sous-dossiers* si vous souhaitez parcourir les imbrications de dossiers

Le champ *Nommé* de la boîte de dialogue *Rechercher* est équipé d'une liste déroulante. Un clic sur le bouton marqué d'une flèche présente les 10 derniers critères de recherche définis précédemment

Si vous cliquez avec le bouton droit sur le menu *Démarrer*, vous pourrez activer directement cette fonction de recherche.

Une recherche n'est pas limitée à la machine locale, elle peut être étendue aux autres machines du réseau, voire même à Microsoft NetWork et les systèmes à distance. Pour ce faire, cliquez sur la mention correspondante du sous-menu associé à la commande *Rechercher*, dans le menu *Démarrer*.

Une recherche est un moyen pratique pour mettre à jour des fragments de fichiers égarés et les copies de sauvegarde devenues inutiles, puis les supprimer. La recherche portera par exemple sur tous les fichiers à extension .BAK, .TMP.

C 4

R 19

Affiner les critères de recherche

La fenêtre de recherche dispose d'une ligne de commande spécifique et de plusieurs onglets permettant de préciser les critères.

Combinez les options des onglets que nous allons étudier dans la suite avec les indications des champs *Nommé* et *Rechercher dans*.

L'onglet Date de la modification

Cet onglet permet de lancer des recherches sur la base de la date de création ou de dernière modification. L'option par défaut est *Tous*. Une recherche par date peut prendre en compte une plage de temps précise ou s'étendre sur un certain nombre de mois ou de jours écoulés.

Ces critères de recherche sont souvent très pratiques. Tous les fichiers créés aujourd'hui pour les sauvegarder, un fichier précis dont vous souvenez simplement l'avoir rédigé au mois de Mai, etc.

L'onglet Avancée

Cet onglet propose également un certain nombre de critères intéressants.

Par la liste *De type*, vous ciblerez une recherche sur un type précis de fichiers, par exemple uniquement les programmes, uniquement les documents Word ou les tableaux d'Excel, les raccourcis ou les dossiers, etc.

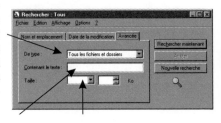

Vous vous souvenez seulement que dans le fichier recherché il était question de "Monique" ? Pas de problème, tapez ce mot dans le champ *Contenant le texte*.

Votre seul souvenir est que le fichier est absolument énorme ? Définissez une valeur "au moins" dans le champ *De taille* et indiquez une valeur en Ko.

Remarque

Dans le menu *Fichier*, vous trouverez une commande complémentaire appelée *Ouvrir le dossier contenant*. Si vous avez sélectionné un fichier et si vous sélectionnez cette commande, le contenu du dossier où se trouve ce fichier sera affiché dans une fenêtre individuelle.

Enregistrer une recherche

Et pourquoi ne pas sauvegarder les recherches que vous avez à exécuter fréquemment ? Vous aurez ainsi l'occasion de les rappeler rapidement la prochaine fois.

1 Définissez tous les critères et lancez la recherche.

2 Ouvrez ensuite le menu *Options* et cliquez sur *Enregistrer les résultats*. Pour n'enregistrer que les critères mais pas les résultats, laissez cette option inactive.

3 Cliquez sur le menu *Fichier* et appelez la commande *Enregistrer la recherche*. Cette recherche apparaîtra sous forme d'icône sur le Bureau. Un double clic sur l'icône rappellera automatiquement la même recherche et un clic sur *Rechercher maintenant* actualisera les résultats.

L'Aperçu rapide

Etait-ce ce texte ou l'autre ? Vous voulez copier, supprimer, lancer un fichier, mais n'êtes pas certain qu'il s'agit bien de l'objet requis.

Avec l'Aperçu rapide, il est possible de visualiser le contenu du fichier - et donc de vérifier que c'est bien celui que vous souhaitiez. Avec des machines assez anciennes, par exemple un 486, vous constaterez que l'Aperçu rapide est bien plus rapide que le chargement du fichier par son application associée. Si vous disposez d'un Pentium bien pourvu en mémoire, par contre, le chargement du programme durera à peine plus longtemps que l'Aperçu rapide.

Opérations sur les fichiers

C 4

R 19

1 Cliquez sur un fichier avec le bouton droit de la souris.

2 Activez la commande *Aperçu rapide* dans le menu contextuel. Comme Windows contient plusieurs programmes d'aperçu, les données sont en principe affichées dans le bon format. Pour les documents qui ne disposent pas d'Aperçu rapide spécifique, la commande ne sera pas proposée.

3 Si le premier fichier appelé dans l'Aperçu rapide n'était pas le bon, il vous suffira de faire glisser le candidat suivant sur le fenêtre de l'Aperçu rapide, avec la touche gauche de la souris.

4 Lorsque le fichier requis est localisé, la commande *Fichier/Ouvrir un fichier pour le modifier* permet de lancer automatiquement l'application associée.

Remarque

Avec les boutons du milieu de la barre d'outils et les options du menu *Affichage*, vous pourrez influer sur la représentation du fichier : police, corps, affichage de la page, orientation Paysage, etc.

L'Aperçu rapide est utilisable pour divers types de fichiers : textes, graphiques, images, tableaux et même fichiers INI.

Propriétés des fichiers

Il est possible de demander des informations sur tous les fichiers, ces informations variant d'un type de fichier à l'autre. Pour certains, ces informations vous permettront d'entreprendre une foule de paramétrages (surtout les fichiers de programmes DOS), mais par défaut, vous pourrez au minimum modifier les attributs de fichier.

1 Cliquez sur un objet avec le bouton droit de la souris.

2 Activez la commande *Propriétés* du menu contextuel.

La fenêtre qui s'ouvre contient un ou plusieurs onglets, selon le type d'objet. Distinction est faite entre les dossiers, les applications DOS, les applications Windows et les divers types de fichiers de données. Tous proposent par défaut un onglet *Général*.

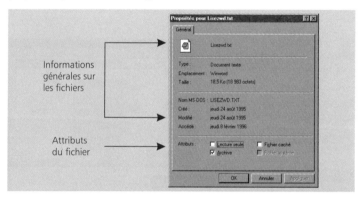

Informations générales sur les fichiers

Attributs du fichier

Les propriétés des applications DOS peuvent être définies en détail. Vous y trouverez plusieurs onglets permettant de paramétrer l'affichage à l'écran et la mémoire.

☞ *Consultez la rubrique N° 37 pour plus d'informations sur le paramétrage des applications DOS.*

D'autres onglets proposent des statistiques d'accès, des informations sur les versions des applications ou le pilotage du partage des fichiers et des dossiers dans le réseau.

Opérations sur les fichiers

C 4

R 19

22 Manipulation des supports de données

Il s'agit principalement des actions de formatage de disquette, de copie de disquettes, mais aussi de représentation graphique de l'occupation du disque dur.

Toutes les options nécessaires se trouvent soit dans le menu contextuel du support de données concerné, soit dans la boîte de dialogue *Propriétés* correspondante.

Que vous sélectionniez le support dans l'Explorateur ou le Poste de travail n'a aucune incidence.

1 Cliquez avec le bouton droit sur l'icône d'un support de données.

2 Activez dans le menu contextuel la commande *Propriétés*.

Remarque

Si vous sélectionnez l'icône d'un disque dur, vous trouverez dans la barre d'état de la fenêtre de dossier des indications sur la capacité totale et l'espace disponible

Si vous avez déposé un raccourci d'un lecteur sur le Bureau, la commande *Propriétés* ne fournira que des informations sur le raccourci et non sur le lecteur.

Propriétés de lecteur

La boîte de dialogue *Propriétés* offre trois onglets.

L'onglet Général

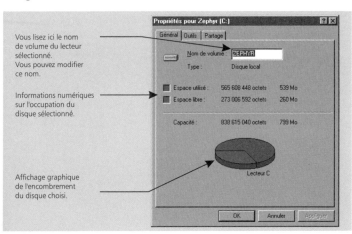

Vous lisez ici le nom de volume du lecteur sélectionné. Vous pouvez modifier ce nom.

Informations numériques sur l'occupation du disque sélectionné.

Affichage graphique de l'encombrement du disque choisi.

L'onglet Outils

Cet onglet permet de démarrer une analyse du support, d'optimiser son occupation et d'effectuer des copies de sauvegarde. En cliquant sur les divers boutons à votre disposition, des programmes indépendants sont lancés, qui proposent tous une nouvelle sélection de lecteur et une configuration détaillée.

☞ *Vous en trouverez une description détaillée dans la rubrique N° 46 traitant de ScanDisk, de Backup, etc.*

Formater un support et créer une disquette système

1 Cliquez avec le bouton droit sur l'icône du support de données voulu (en principe, il s'agira d'une disquette).

2 Appelez la commande *Formater* du menu contextuel.

3 Définissez les options de formatage dans la boîte de dialogue suivante.

Opérations sur les fichiers

C 4

R 19

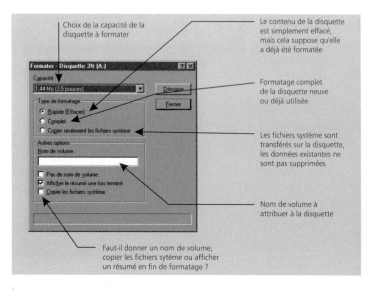

Choix de la capacité de la disquette à formater

Le contenu de la disquette est simplement effacé, mais cela suppose qu'elle a déjà été formatée

Formatage complet de la disquette neuve ou déjà utilisée

Les fichiers système sont transférés sur la disquette, les données existantes ne sont pas supprimées

Nom de volume à attribuer à la disquette

Faut-il donner un nom de volume, copier les fichiers sytème ou afficher un résumé en fin de formatage ?

4 Cliquez sur le bouton *Démarrer* pour lancer la procédure. Un indicateur d'avancement vous permettra d'en suivre le déroulement.

> **Remarque**
>
> Ce n'est qu'en activant les options Type de formatage Rapide ou Complet que vous aurez l'occasion de donner un nom au support ou de modifier ce nom;
>
> Les fichiers système éventuellement transférés permettent de démarrer la machine sous MS-DOS. Windows 95, par contre, ne pourra pas être lancé, même si l'écran commence par afficher "Démarrage de Windows 95"

Copier une disquette

Pour copier le contenu d'une disquette sur une autre disquette :

1 Dans le menu contextuel du support, activez la commande *Copie de disquette*.

2 Si votre PC est équipé d'un seul lecteur de disquette, le choix ne sera pas grand. Cliquez simplement sur le bouton lançant l'opération.

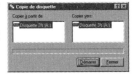

23 Opérations de fichiers avec des applications

Il existe une autre façon de réaliser des opérations sur les fichiers, qu'il est bon de connaître : dans les boîtes de dialogue *Enregistrer sous* et *Ouvrir* des programmes d'application conçus pour Windows 95, il est possible d'exécuter pratiquement toutes les opérations de fichiers.

A bien y regarder, c'était une des grandes attentes des utilisateurs : combien de fois avez-vous remarqué, au moment d'enregistrer un fichier, que vous aviez oublié de créer le dossier dans lequel ce fichier devait venir prendre place ?

Il est très pratique de pouvoir délaisser brièvement son traitement de texte pour déplacer un fichier ou le renommer ! Même si vous ne disposez d'aucun des programmes d'Office, vous pouvez en faire l'essai avec WordPad ou Paint.

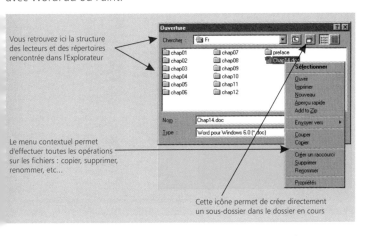

Vous retrouvez ici la structure des lecteurs et des répertoires rencontrée dans l'Explorateur

Le menu contextuel permet d'effectuer toutes les opérations sur les fichiers : copier, supprimer, renommer, etc...

Cette icône permet de créer directement un sous-dossier dans le dossier en cours

Opérations sur les fichiers

C 4

R 19

24 Combiner l'Explorateur et les autres fenêtres

Les opérations de fichiers, déplacement ou copie, sont plus faciles à réaliser en ayant sous les yeux le dossier source et le dossier cible. Malheureusement, ni l'Explorateur ni le Poste de travail ne le permettent. La seule solution est de combiner les deux.

La combinaison de deux Explorateurs coûte un peu de mémoire, mais est d'une souplesse sans pareil pour afficher source et cible.

La combinaison de l'Explorateur et du Poste de travail est plus pratique si la source ou la cible ne demande pas trop de souplesse. Le dossier du côté gauche peut rester ouvert en permanence, les actions étant entreprises à partir de l'Explorateur.

Pour des dossiers ou des fichiers d'usage fréquent, pensez également aux raccourcis.

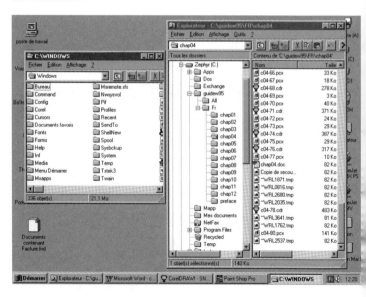

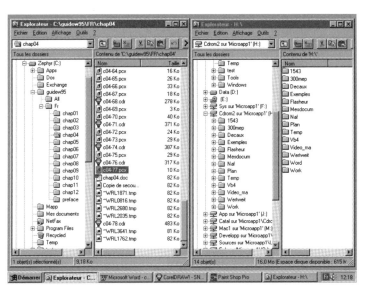

Windows 95 sur mesure

Une fois l'installation de Windows 95 terminée, vous pouvez commencer le travail effectif. Mais, de la même façon que vous aménagez à votre convenance votre bureau, vous allez très certainement chercher à personnaliser le Bureau de Windows 95.

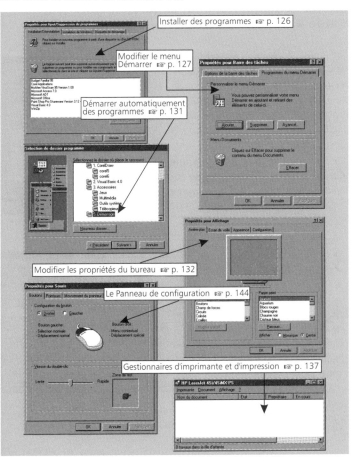

Installer des programmes ☞ p. 126

Modifier le menu Démarrer ☞ p. 127

Démarrer automatiquement des programmes ☞ p. 131

Modifier les propriétés du bureau ☞ p. 132

Le Panneau de configuration ☞ p. 144

Gestionnaires d'imprimante et d'impression ☞ p. 137

25 Installer des programmes

L'installation des programmes est une opération très simple : vous n'avez même pas à connaître le lecteur dans lequel vous avez inséré la disquette ou le CD.

Insérer la disquette, c'est tout - L'aide à l'installation

1 Dans le Panneau de configuration (*Démarrer/Paramètres/Panneau de configuration*), vous trouverez une icône *Ajout/Suppression de programmes*, renfermant une aide à l'installation.

2 Un double clic sur cette icône ouvre une boîte de dialogue dotée de trois onglets. Le premier sert à l'installation ou la désinstallation de logiciels.

3 Insérez la disquette ou le CD et cliquez sur *Suivant*.

4 Windows 95 cherche sur cette disquette ou ce CD une application appelée Install.exe ou Setup.exe et affiche le résultat de la recherche. S'il en trouve plusieurs, vous en choisirez un par un clic de souris.

5 Un nouveau clic sur *Suivant* démarre l'installation.

Remarque

Si vous connaissez avec précision le nom et la localisation du programme d'installation, vous pouvez également faire appel à la commande *Démarrer/Exécuter*.

26 Modifier le menu Démarrer

Le menu *Démarrer* matérialise un dossier contenu dans votre dossier Windows, sur le disque dur (C:\Windows\Menu Démarrer).

Ce menu est modifiable, il suffit d'ouvrir le lecteur, de passer dans le dossier *Menu Démarrer* du dossier *Windows* et de supprimer ou de rajouter des raccourcis de programme.

La même technique peut aussi être appliquée à son sous-dossier *Programmes*.

Ajouter un programme

Pour les modifications du menu *Démarrer*, Windows 95 propose une boîte de dialogue particulière.

1 Ouvrez cette boîte de dialogue par *Démarrer/Paramètres/Barre des tâches*.

2 Activez l'onglet *Programmes du menu Démarrer* et cliquez sur le bouton *Ajouter*.

3 Indiquez le chemin d'accès complet du fichier de programme pour lequel vous souhaitez créer un raccourci ou cliquez sur *Parcourir*.

Windows 95 sur mesure

C 5

R 26

4 Sélectionnez le programme par un clic de souris sur le lecteur, le dossier et enfin le fichier.

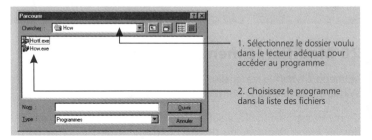

1. Sélectionnez le dossier voulu dans le lecteur adéquat pour accéder au programme

2. Choisissez le programme dans la liste des fichiers

5 Cliquez sur le bouton *Suivant* et sélectionnez le menu dans lequel ce programme doit être ajouté (le dossier Menu Démarrer vous est présenté, avec son sous-dossier Programmes).

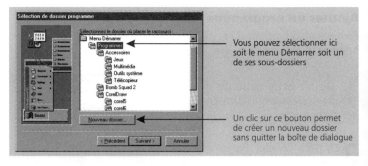

Vous pouvez sélectionner ici soit le menu Démarrer soit un de ses sous-dossiers

Un clic sur ce bouton permet de créer un nouveau dossier sans quitter la boîte de dialogue

6 Indiquez le nom que doit porter le raccourci et cliquez une dernière fois sur le bouton *Suivant*.

Supprimer un programme

Si le menu *Démarrer* ou le menu *Programmes* sont devenus trop confus, il est toujours possible de supprimer programmes ou groupes de programmes. S'agissant de sous-dossiers du dossier *Menu Démarrer*, vous supprimerez les mentions dans le menu *Démarrer* en effaçant les dossiers ou les raccourcis du disque dur.

1 Appelez la commande *Démarrer/Paramètres/Barre des tâches*.

2 Activez l'onglet *Programmes du menu Démarrer*.

3 Vous voici devant l'arborescence du menu *Démarrer*. A vous de choisir l'élément à supprimer. Il peut s'agir d'un programme dans un groupe ou un menu, ou même un groupe complet.

4 Cliquez sur le bouton *Supprimer*.

Création d'un nouveau groupe de programmes

Cette opération est un jeu d'enfant, il suffit de rajouter un sous-dossier au dossier *Programmes*.

1 Cliquez sur *Démarrer/Paramètres/Barre des tâches* et activez l'onglet *Programmes du menu Démarrer*.

2 Cliquez sur le bouton *Avancé* pour afficher le dossier *Menu Démarrer* ainsi que le sous-dossier *Programmes*.

Windows 95 sur mesure

C 5

R 26

3 Ouvrez le dossier *Programmes* d'un double clic et lancez la commande *Fichier/Nouveau/Dossier*.

4 Donnez un nom à ce nouveau dossier et appuyez sur la touche **Entrée**.

Remarque

Si vous connaissez dès le départ le nom du programme que vous allez placer dans ce nouveau groupe de programmes, procédez comme nous l'avons expliqué dans la section "Ajouter un nouveau programme". A l'étape 3, ne sélectionnez pas de dossier existant, cliquez sur Nouveau dossier, donnez lui un nom et validez par **Entrée**.

Modification de l'ordre de présentation

En fait, rien n'est prévu pour modifier l'ordre de présentation des commandes du menu *Démarrer*. Les commandes sont simplement triées par ordre alphabétique. Si cet ordre ne vous convient pas, utilisez l'astuce suivante : affectez des numéros à ces commandes.

1 Ouvrez la boîte de dialogue *Démarrer/Paramètres/Barre des tâches* et activez l'onglet *Programmes du menu Démarrer*.

2 Cliquez sur le bouton *Avancé* pour ouvrir une fenêtre de l'Explorateur avec le dossier *Menu Démarrer*.

3 Sélectionnez la première mention dont vous souhaitez modifier l'ordre de présentation et appelez la commande *Fichier/Renommer*.

4 Le nom de l'élément est sélectionné : rajoutez-lui un numéro d'ordre, en première position.

5 Appuyez sur la touche **Entrée** pour terminer la modification.

Remarque

N'activez aucune touche du clavier pendant que le nom est sélectionné, sinon il sera supprimé et vous devrez le retaper. Utilisez plutôt les touches Flèche vers la gauche ou Flèche vers la droite, pour vous déplacer de caractère en caractère.

Lorsque tous les noms sont dotés d'un numéro, vous pourrez vérifier l'effet de cette astuce dans le menu *Démarrer*.

27 Démarrer automatiquement des programmes

Pour faire en sorte qu'un programme soit chargé automatiquement au démarrage de Windows 95, placez un raccourci de ce programme dans le dossier *Démarrage*, comme vous le faisiez dans les anciennes versions de Windows.

Mais comme les fonctions de glisser-déplacer ne fonctionnent pas dans le menu *Démarrer*, vous aurez à passer par un petit détour.

Placer un raccourci dans le groupe Démarrage

1 Ouvrez la boîte de dialogue *Démarrer/Paramètres/Barre des tâches* et activez l'onglet *Programmes du menu Démarrer*.

2 Cliquez sur le bouton *Ajouter* et indiquez le nom et le chemin d'accès du programme en question. Au besoin, pensez à utiliser le bouton *Parcourir* pour le localiser (voir "Ajouter un programme").

Windows 95 sur mesure

C 5

R 27

3 Cliquez sur le bouton *Suivant* et sélectionnez le groupe *Démarrage* d'un double clic. C'est ici que le raccourci doit venir prendre place.

4 Indiquez le nom que doit porter ce raccourci et cliquez sur *Suivant*.

28 Modifier les propriétés du bureau

Certains paramètres influant sur les affichages et l'interface de travail peuvent être facilement modifiés.

1 Cliquez avec le bouton droit de la souris à un emplacement vierge du Bureau.

2 Activez la commande *Propriétés* dans le menu contextuel.

Arrière-plan

Lors de l'aménagement de l'arrière-plan, vous pourrez choisir entre un motif et un papier peint.

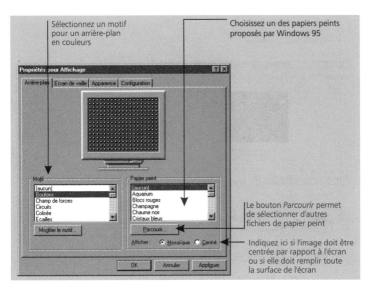

Sélectionnez un motif pour un arrière-plan en couleurs

Choisissez un des papiers peints proposés par Windows 95

Le bouton *Parcourir* permet de sélectionner d'autres fichiers de papier peint

Indiquez ici si l'image doit être centrée par rapport à l'écran ou si elle doit remplir toute la surface de l'écran

Les papiers peints agrémentent joliment l'écran, mais obèrent fortement la mémoire. Des images en grand format peuvent même ralentir l'ensemble de votre système.

Si votre machine est équipée de moins de 8 Mo de RAM ou si vous sentez que les performances du système diminuent, abstenez-vous de mettre en place un papier peint et choisissez plutôt un motif.

Ecrans de veille

A l'origine, les écrans de veille avaient pour rôle d'éviter l'incrustation d'images fixes au cours des moments d'inactivité de la machine.

Avec les moniteurs actuels, ce problème a été résolu, les écrans de veille étant relégués au rang de gadgets esthétiques.

Windows 95 sur mesure

C 5

R 28

Si votre moniteur dispose de fonctions
d'économie d'énergie, définissez ici
les différents paramètres

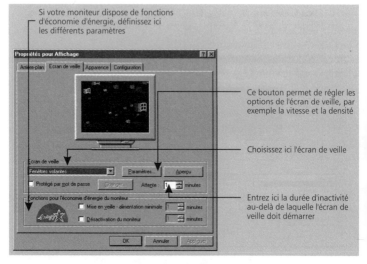

Ce bouton permet de régler les
options de l'écran de veille, par
exemple la vitesse et la densité

Choisissez ici l'écran de veille

Entrez ici la durée d'inactivité
au-delà de laquelle l'écran de
veille doit démarrer

Personnalisation de l'interface

Si quelque chose ne vous convient pas dans l'interface de Windows 95,
pas de problème : vous pouvez le modifier. Windows 95 propose toute
une série de schémas prédéfinis d'affichage et permet de les modifier à
loisir, même au niveau du choix des couleurs.

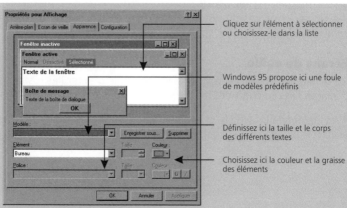

Cliquez sur l'élément à sélectionner
ou choisissez-le dans la liste

Windows 95 propose ici une foule
de modèles prédéfinis

Définissez ici la taille et le corps
des différents textes

Choisissez ici la couleur et la graisse
des éléments

Modification de la résolution de l'écran

En fonction de la taille du moniteur, il peut être utile d'augmenter la résolution de base. Innovation de Windows 95 : cette modification ne suppose pas forcément un redémarrage de la machine. Si vous modifiez la résolution en conservant la profondeur de couleur, les nouveaux paramètres entrent immédiatement en action.

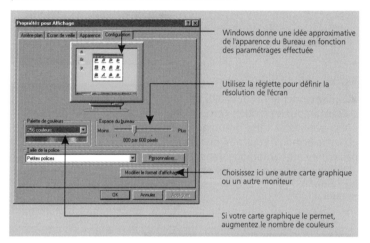

Windows donne une idée approximative de l'apparence du Bureau en fonction des paramétrages effectuée

Utilisez la réglette pour définir la résolution de l'écran

Choisissez ici une autre carte graphique ou un autre moniteur

Si votre carte graphique le permet, augmentez le nombre de couleurs

Windows 95 sur mesure

Si vous cliquez sur *Appliquer*, Windows 95 affiche une boîte de dialogue indiquant que si dans les 15 secondes à venir rien ne se passe, il prendra sur lui de restaurer l'ancienne configuration. C'est une protection du moniteur. Si vous avez opté pour une résolution que votre écran n'est pas en mesure d'afficher (1024x768), l'affichage ne présentera plus aucune image et vous ne pourrez plus intervenir. Dans ce cas, éteignez le moniteur et attendez 15 secondes. Ce problème ne peut cependant survenir qu'en cas d'une définition erronée du modèle de moniteur lors de l'installation.

C 5

R 28

Modifier la configuration des cartes graphiques et des moniteurs

1 Si vous cliquez sur le bouton *Modifier le format d'affichage*, vous aurez l'occasion d'indiquer une autre carte graphique ou un autre type d'écran.

2 Cliquez sur *Changer* pour demander à Windows 95 de présenter tous les modèle compatibles avec votre carte graphique ou votre écran. Si vous ne trouvez pas votre carte graphique dans la liste, activez l'option *Afficher tous les périphériques*.

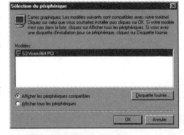

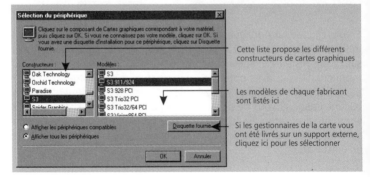

Cette liste propose les différents constructeurs de cartes graphiques

Les modèles de chaque fabricant sont listés ici

Si les gestionnaires de la carte vous ont été livrés sur un support externe, cliquez ici pour les sélectionner

3 Lorsque vous aurez choisi une carte, cliquez sur OK. Windows 95 demande ensuite une disquette ou son propre CD-ROM et se charge d'installer le pilote. Pour installer un autre moniteur, la procédure est la même. Lorsque tout est en place, redémarrez Windows 95 pour prendre en compte les nouveaux paramètres.

29 Gestionnaires d'imprimante et d'impression

Dans la fenêtre Poste de travail, vous trouverez un dossier Imprimantes regroupant tous les éléments nécessaires à l'installation et à la gestion des imprimantes.

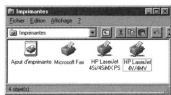

Installer une nouvelle imprimante

Pour effectuer cette opération :

1 Faites un double clic sur l'icône *Ajout d'imprimante*. Apparaît la fenêtre de bienvenue de l'Assistant Ajout d'imprimante.

2 Cliquez sur *Suivant*.

3 Si vous êtes connecté en réseau, choisissez entre l'installation d'une imprimante locale, directement reliée à votre PC, ou d'une imprimante en réseau.

4 Sélectionnez le constructeur et le modèle du périphérique.

Windows 95 sur mesure

C 5

R 29

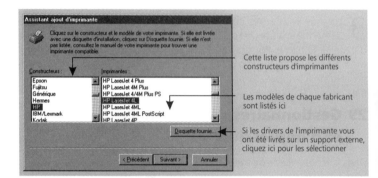

Cette liste propose les différents constructeurs d'imprimantes

Les modèles de chaque fabricant sont listés ici

Si les drivers de l'imprimante vous ont été livrés sur un support externe, cliquez ici pour les sélectionner

5 Si vous avez déjà installé le même type d'imprimante, Windows 95 vous demandera si vous souhaitez conserver l'ancien pilote. Si oui, cochez l'option correspondante et cliquez sur *Suivant*.

6 Définissez le port qu'utilisera votre imprimante.

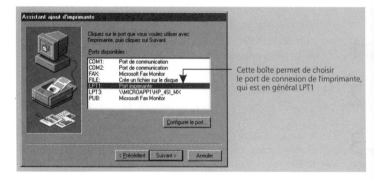

Cette boîte permet de choisir le port de connexion de l'imprimante, qui est en général LPT1

7 Donnez un nom à la nouvelle imprimante. Si vous avez installé plusieurs imprimantes, n'hésitez pas à leur donner des noms expressifs indiquant clairement leur rôle respectif (par exemple Brouillon, Graphique, PostScript, etc.). Vous aurez aussi à définir si le nouveau périphérique doit devenir l'imprimante par défaut de toutes les applications (à n'utiliser qu'en cas d'imprimante unique).

8 Demandez au besoin l'impression d'une page de test pour vérifier que tout est en ordre. Si vous n'avez pas à installer de nouveau pilote (voir étape 3), l'opération est terminée.

9 Avant de cliquer sur *Suivant*, insérez le CD d'installation de Windows 95, pour copie des pilotes.

Configuration du pilote de l'imprimante

Pour donner un maximum de souplesse et de rapidité aux imprimantes, vous disposez d'une foule d'options et de paramètres. Ils sont regroupés dans les propriétés de l'imprimante.

Vous y accéderez en ouvrant le dossier Imprimantes, en faisant un clic droit sur l'imprimante en question et en activant la commande *Propriétés* du menu contextuel.

La boîte de dialogue ainsi ouverte se compose de plusieurs onglets classés par catégorie. En voici les principaux :

Windows 95 sur mesure

C 5

R 29

Détails

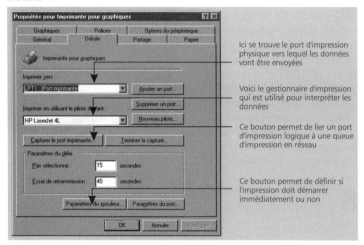

Ici se trouve le port d'impression physique vers lequel les données vont être envoyées

Voici le gestionnaire d'impression qui est utilisé pour interpréter les données

Ce bouton permet de lier un port d'impression logique à une queue d'impression en réseau

Ce bouton permet de définir si l'impression doit démarrer immédiatement ou non

Papier

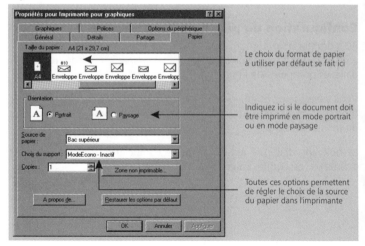

Le choix du format de papier à utiliser par défaut se fait ici

Indiquez ici si le document doit être imprimé en mode portrait ou en mode paysage

Toutes ces options permettent de régler le choix de la source du papier dans l'imprimante

Graphique

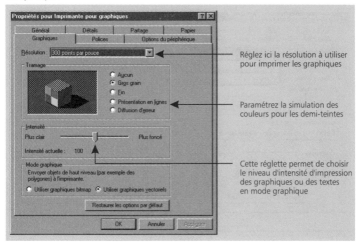

Réglez ici la résolution à utiliser pour imprimer les graphiques

Paramétrez la simulation des couleurs pour les demi-teintes

Cette réglette permet de choisir le niveau d'intensité d'impression des graphiques ou des textes en mode graphique

Polices

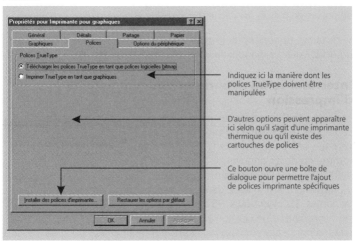

Indiquez ici la manière dont les polices TrueType doivent être manipulées

D'autres options peuvent apparaître ici selon qu'il s'agit d'une imprimante thermique ou qu'il existe des cartouches de polices

Ce bouton ouvre une boîte de dialogue pour permettre l'ajout de polices imprimante spécifiques

Windows 95 sur mesure

C 5

R 29

Options du périphérique

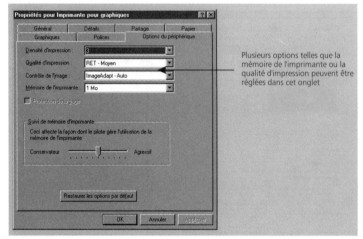

Plusieurs options telles que la mémoire de l'imprimante ou la qualité d'impression peuvent être réglées dans cet onglet

Les paramètres disponibles changent d'un modèle à l'autre et sont fonction du pilote. En général, vous trouverez au minimum des options de format de papier, de polices, de cache d'impression et de résolution graphique.

Si certaines options vous font défaut ou ne vous semblent pas claires, reportez-vous au manuel de votre imprimante.

Interrompre ou supprimer des commandes d'impression

La seule solution pour inter-cepter des commandes d'im-pression en vue de les inter-rompre ou de les annuler est d'activer le Gestionnaire d'impression. A l'inverse de Windows 3.x, Windows 95 ne dispose pas d'un Gestion-

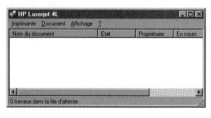

naire d'impression unique, chaque imprimante est équipée de son propre Gestionnaire d'impression.

Remarque

Normalement, le Gestionnaire d'impression est ouvert par un double clic sur l'icône de l'imprimante concernée, dans le dossier Imprimantes de la fenêtre du Poste de travail. Mais il est plus pratique d'installer sur le Bureau un raccourci vers ce Gestionnaire d'impression, vous y aurez ainsi accès beaucoup plus rapidement.

Tant qu'une commande d'impression est en cours de traitement par Windows 95 et n'est pas encore arrivée au périphérique, vous trouverez une petite icône d'imprimante à droite de la Barre des tâches. Un double clic sur cette icône ouvre le Gestionnaire d'impression de l'imprimante.

Pour interrompre une impression :

1 Ouvrez le Gestionnaire d'impression.

2 Sélectionnez la commande à stopper.

3 Appelez la commande de menu *Document/Suspendre l'impression*. Pour supprimer définitivement l'ordre d'impression, appuyez sur la touche **Suppr**.

Modifier les positions dans la file d'attente

Si vous avez lancé plusieurs commandes d'impression vers le même périphérique et si vous vous apercevez qu'une de ces commandes est particulièrement urgente, vous chercherez à modifier l'ordre des commandes dans la file d'attente. C'est tout simple :

1 Ouvrez le Gestionnaire d'impression par un double clic sur l'icône de la Barre des tâches.

2 Saisissez la commande à déplacer avec la souris et déplacez-la en bonne position.

Windows 95 sur mesure

C 5

R 29

La commande en cours d'impression est poursuivie à son terme, puis la commande déplacée est exécutée.

Remarque

Attention, si vous travaillez en réseau, seul l'utilisateur propriétaire de l'imprimante (elle est connectée directement à son PC) ou le superviseur peut modifier l'ordre de la file d'attente.

30 Le Panneau de configuration

Le Panneau de configuration est le centre de commandement de Windows 95. C'est ici que vous aurez accès à tous les paramètres du système. Vous y accéderez par le menu *Démarrer* et sa commande *Paramètres/Panneau de configuration* ou par le Poste de travail.

Ajout/Suppression de programmes

Le module *Ajout/Suppression de programmes* est le module responsable de l'installation ou la désinstallation des programmes d'application ou des composants Windows 95.

Un double clic sur cette icône ouvre une boîte de dialogue constituée de trois onglets. Le premier se charge de l'installation des programmes, il fait l'objet d'une étude particulière.

☛ *Consultez la rubrique N° 25 pour plus d'informations sur le module Ajout/Suppression de programmes.*

Ajouter ou supprimer des composants de Windows

Le second onglet, *Installation de Windows*, est une fenêtre que vous connaissez peut-être déjà de par l'installation de votre système d'exploitation.

Elle affiche l'ensemble des éléments composant Windows et permet d'installer les modules absents ou de supprimer ceux devenus inutiles.

Voici comment faire :

1 Sélectionnez un des composants dont vous souhaitez installer (ou désinstaller) un élément.
Cliquez simplement sur la ligne concernée. Notez la ligne qui se trouve
en bas de la fenêtre. Elle indique le
nombre de composants que vous
avez déjà installés dans la section
concernée.

2 Cliquez sur le bouton *Détails* pour
afficher la liste des éléments du composant. Si la case à cocher placée devant
le nom du composant est en grisé, c'est
le signe que certains de ses éléments ne
sont pas installés.

3 Activez ou désactivez les éléments à traiter, en jouant de leur
case à cocher.

4 Cliquez sur OK pour valider votre choix, puis encore une fois sur OK
pour lancer la procédure. Windows 95 cherche son CD-ROM
d'installation ou demande l'insertion d'une disquette, puis copie les
fichiers nécessaires.

5 Bien sûr, pour une désinstallation, point n'est besoin du CD ou des
disquettes, les fichiers sont simplement supprimés du disque dur.

Créer une disquette de démarrage

Cette disquette de démarrage pourra faire office d'entrée de secours en
cas de problème avec Windows 95. Si vous n'arrivez plus à démarrer
Windows, insérez la disquette et démarrez. La machine chargera ainsi

Windows 95 sur mesure

C 5

R 30

le système d'exploitation de la disquette et vous aurez possibilité d'effectuer un diagnostic ou une recherche d'erreur.

Le troisième onglet de cette boîte de dialogue permet justement la création de ce type de disquette. Nous ne pouvons que vous conseiller de réaliser cette opération. Tout ce dont vous avez besoin est une disquette.

1 Insérez la disquette dans le lecteur et le CD d'installation dans le lecteur de CD-ROM. Cliquez sur le bouton *Créer une disquette*.

2 Windows 95 copie les fichiers requis depuis le CD sur le disque dur, formate la disquette et effectue la copie du disque dur vers la disquette.

3 Ejectez la disquette et conservez-la précieusement.

Ajout/Suppression de périphérique

Si vous faites l'acquisition d'une carte-son ou d'une carte réseau, il faudra bien sûr donner à Windows 95 la possibilité d'analyser la nouvelle configuration, d'installer les nouveaux pilotes et éventuellement régler les conflits entre les périphériques.

Installer un périphérique

L'opération commence par le montage de la nouvelle carte ou du nouveau périphérique. Avant de démonter l'unité centrale de votre machine, vous aurez certainement à configurer la carte, par des cavaliers (les "jumpers"), de manière à déterminer les ressources (IRQ, adresse d'entrée/sortie, Canal DMA) que ce périphérique devra utiliser. La seule solution est de faire appel au manuel.

Remarque

Si vous utilisez conjointement plusieurs cartes dans votre machine (son, réseau, vidéo, etc.), vous ne devriez normalement pas rencontrer de problème. Toutes ces cartes sont configurés avec des valeurs standard que vous pourrez simplement reprendre en l'état. En cas de problème après la mise en service, le Gestionnaire de périphérique affichera les conflits.

Ceci fait, montez la carte dans l'unité centrale. Ouvrez pour cela le boîtier, cherchez un slot disponible et adéquat, retirez le cache sur la partie arrière et enfichez la carte dans son socle. Là encore, le manuel vous indiquera les branchements à effectuer. Refermez provisoirement le boîtier, sans remettre les vis et rebranchez le clavier, l'écran et la souris.

Déclaration du périphérique à Windows 95

Tant que le pilote supportant le périphérique n'est pas installé, ce périphérique ne fonctionnera pas. L'ordinateur ne sait pas qu'il existe. Pour effectuer la déclaration, ouvrez le Panneau de configuration et son module *Ajout de périphérique*.

1 Cliquez sur *Suivant* dans la fenêtre de bienvenue de l'Assistant.

2 Dans la boîte de dialogue suivante, vous aurez à choisir entre une reconnaissance automatique du périphérique par Windows 95 ou une installation manuelle. La première option est recommandée à juste titre : vous n'aurez à vous préoccuper de rien. Windows 95 ausculte votre machine, identifie les nouveaux

périphériques et installe automatiquement les pilotes nécessaires à leur fonctionnement. Il va même jusqu'à reconnaître les éventuels conflits de

Windows 95 sur mesure

C 5

R 30

ressources. Il ne vous reste qu'à insérer le CD d'installation et de cliquer sur *Suivant*.

3 La boîte de dialogue suivante indique ce qu'il y a lieu de faire si la machine venait à planter en cours d'installation. Cliquez sur *Suivant*.

4 Le système prend son temps pour diagnostiquer l'ensemble du système et en identifier les composants.

5 A la fin de la reconnaissance, une boîte de dialogue indique qu'un nouveau périphérique a été détecté. Un clic sur *Détails* permet de vérifier qu'il a été reconnu correctement. Cliquez sur *Suivant*.

6 Puis Windows 95 affiche les ressources qu'il se propose d'affecter à ce périphérique ainsi que les éventuels conflits avec d'autres périphériques. Les valeurs marquées d'une étoile sont normalement déjà utilisées par d'autres périphériques. Les valeurs dotées d'une double croix correspondent à des paramètres fixes, définis par des cavaliers sur le la carte. Pour modifier ces valeurs, la seule solution est de retirer la carte et de modifier les paramètres directement au niveau des cavaliers.

7 Si vous avez à modifier les paramètres du périphérique, interrompez l'installation et recommencez toute l'opération depuis le début.

8 Si tout s'est bien passé ou si vous avez été en mesure de régler les conflits, cliquez sur *Suivant* pour terminer l'installation. Insérez le CD de Windows pour copie des pilotes.

Affecter des sons aux événements système

Windows 95 est accompagné d'une série de fichiers de sons que vous pourrez affecter aux divers événements système (démarrage du programme, apparition d'une boîte de dialogue, etc.). La seule condition est que vous disposiez d'une carte son. Un double clic sur le module *Sons* du Panneau de configuration ouvre la boîte de dialogue suivante :

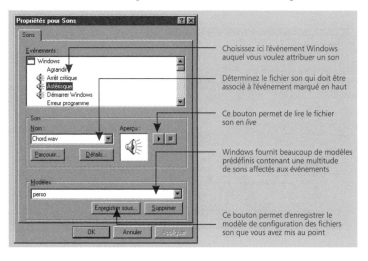

Choisissez ici l'événement Windows auquel vous voulez attribuer un son

Déterminez le fichier son qui doit être associé à l'événement marqué en haut

Ce bouton permet de lire le fichier son en *live*

Windows fournit beaucoup de modèles prédéfinis contenant une multitude de sons affectés aux événements

Ce bouton permet d'enregistrer le modèle de configuration des fichiers son que vous avez mis au point

Windows 95 sur mesure

C 5

R 30

Affichage

Le module *Affichage* appelle la boîte de dialogue de même nom. Vous pourrez aussi y accéder par un clic droit sur le Bureau et appel de la commande *Propriétés* du menu contextuel.

☞ *Consultez la rubrique N° 28 pour plus d'informations sur le réglage de l'affichage.*

Imprimantes

Ce module est identique au dossier Imprimantes du Poste de travail.

☞ *Consultez la rubrique N° 29 pour plus d'informations sur le paramétrage des imprimantes.*

Clavier

Le module *Clavier* cache une boîte de dialogue composée de trois onglets. Le premier, *Vitesse*, propose de modifier les paramètres du curseur et des répétitions.

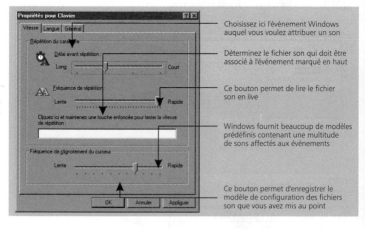

Choisissez ici l'événement Windows auquel vous voulez attribuer un son

Déterminez le fichier son qui doit être associé à l'événement marqué en haut

Ce bouton permet de lire le fichier son en *live*

Windows fournit beaucoup de modèles prédéfinis contenant une multitude de sons affectés aux événements

Ce bouton permet d'enregistrer le modèle de configuration des fichiers son que vous avez mis au point

Le second onglet, *Langue*, permet d'appliquer aux touches du clavier les caractères, lettres, chiffres et caractères spéciaux d'une autre langue.

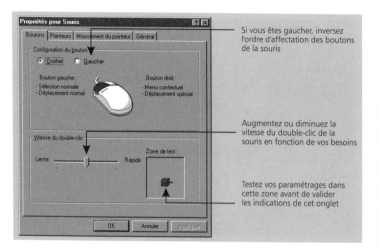

Si vous êtes gaucher, inversez l'ordre d'affectation des boutons de la souris

Augmentez ou diminuez la vitesse du double-clic de la souris en fonction de vos besoins

Testez vos paramétrages dans cette zone avant de valider les indications de cet onglet

Le dernier onglet, *Général*, sert à déterminer le type de votre clavier.

Remarque

Comme Windows 95 ausculte votre machine au moment de l'installation et met automatiquement en place les pilotes correspondants, vous n'aurez normalement aucune modification à entreprendre ici. S'il vous arrive d'acheter un autre clavier, d'un modèle différent, cliquez sur *Changer* et activez l'option *Afficher tous les périphériques*.

Souris

Les paramètres de la souris sont d'une importance décisive pour l'agrément du travail. Un pointeur nerveux et surexcité, posant problème pour des sélections précises, ou un double clic trop sensible, sont des épreuves pénibles pour les nerfs de l'utilisateur.

Dans le module *Souris*, vous trouverez quatre onglets permettant d'adapter les paramètres de la souris à vos propres habitudes de travail.

Le premier onglet concerne les touches de la souris et le double clic :

Windows 95 sur mesure

C 5

R 30

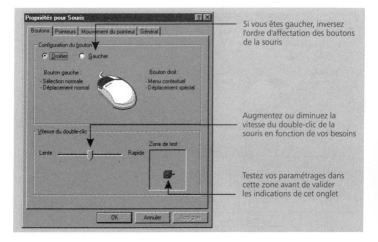

Si vous êtes gaucher, inversez l'ordre d'affectation des boutons de la souris

Augmentez ou diminuez la vitesse du double-clic de la souris en fonction de vos besoins

Testez vos paramétrages dans cette zone avant de valider les indications de cet onglet

Dans le deuxième onglet, *Pointeurs*, vous avez la possibilité de changer la forme des pointeurs apparaissant dans Windows 95. Les diverses formes ne sont pas installées par défaut, vous devrez les installer à partir du CD-ROM.

☛ *Consultez le début de cette rubrique pour plus d'informations au sujet de l'installation des composants de Windows.*

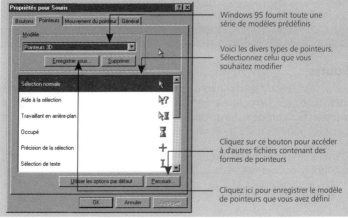

Windows 95 fournit toute une série de modèles prédéfinis

Voici les divers types de pointeurs. Sélectionnez celui que vous souhaitez modifier

Cliquez sur ce bouton pour accéder à d'autres fichiers contenant des formes de pointeurs

Cliquez ici pour enregistrer le modèle de pointeurs que vous avez défini

Par l'onglet *Mouvement du pointeur*, vous réglerez la vitesse et les traînées laissées par le pointeur à l'écran. Une traînée n'est véritablement intéressante qu'avec un portable muni d'un écran LCD. Avec le dernier Onglet, *Général*, vous aurez l'occasion de choisir un autre pilote pour votre souris, si vous en changez.

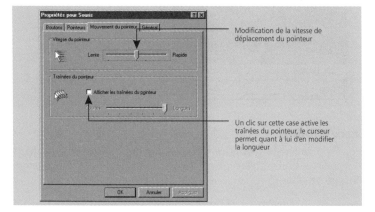

Modification de la vitesse de déplacement du pointeur

Un clic sur cette case active les traînées du pointeur, le curseur permet quant à lui d'en modifier la longueur

Date et Heure

Si vous voyagez avec votre portable et s'il vous arrive de changer de fuseau horaire, si l'horloge de votre système n'est plus à l'heure, utilisez cette boîte de dialogue pour régler date et heure.

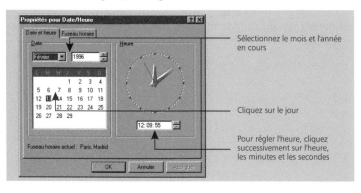

Sélectionnez le mois et l'année en cours

Cliquez sur le jour

Pour régler l'heure, cliquez successivement sur l'heure, les minutes et les secondes

Windows 95 sur mesure

C 5

R 30

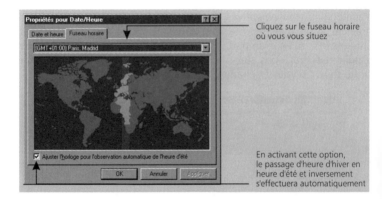

Cliquez sur le fuseau horaire où vous vous situez

En activant cette option, le passage d'heure d'hiver en heure d'été et inversement s'effectuera automatiquement

Accessibilité

Pour la première fois, Windows 95 met à la disposition des utilisateurs une aide à l'accessibilité permettant de simplifier considérablement l'usage de la souris et du clavier pour les personnes handicapées.

De la même manière, les effets sonores qui sont normalement affectés aux événements système peuvent prendre une forme visuelle plutôt qu'acoustique et la lisibilité de l'écran peut être améliorée.

Si vous ne trouvez pas le module Accessibilité dans le Panneau de configuration, il vous faudra l'installer depuis le CD-ROM de Windows 95.

☞ *Consultez la rubrique N° 30 pour plus d'informations à propos de l'installation des composants de Windows 95.*

Un double clic sur ce module ouvre une boîte de dialogue contenant cinq onglets.

Clavier

Trois aides vous y attendent pour le clavier :

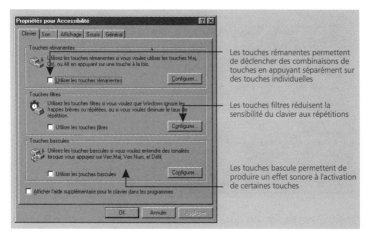

Les touches rémanentes permettent de déclencher des combinaisons de touches en appuyant séparément sur des touches individuelles

Les touches filtres réduisent la sensibilité du clavier aux répétitions

Les touches bascule permettent de produire un effet sonore à l'activation de certaines touches

Un clic sur *Configurer* permet de définir ou de modifier les paramètres de chaque aide. En ce qui concerne les touches rémanentes, voici les options proposées :

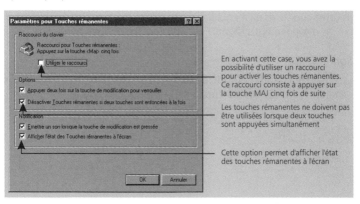

En activant cette case, vous avez la possibilité d'utiliser un raccourci pour activer les touches rémanentes. Ce raccourci consiste à appuyer sur la touche MAJ cinq fois de suite

Les touches rémanentes ne doivent pas être utilisées lorsque deux touches sont appuyées simultanément

Cette option permet d'afficher l'état des touches rémanentes à l'écran

Windows 95 sur mesure

C 5

R 30

Voici Les options de configuration des touches filtres :

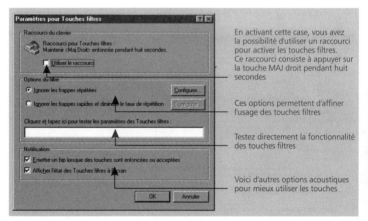

En activant cette case, vous avez la possibilité d'utiliser un raccourci pour activer les touches filtres. Ce raccourci consiste à appuyer sur la touche MAJ droit pendant huit secondes

Ces options permettent d'affiner l'usage des touches filtres

Testez directement la fonctionnalité des touches filtres

Voici d'autres options acoustiques pour mieux utiliser les touches

Derrière le dernier bouton de configuration, se cache la possibilité d'activer le raccourci clavier pour l'affichage de l'état. Une fois activée, vous pourrez demander l'affichage de l'état en gardant la touche NUM enfoncée durant 5 secondes.

Si vous cliquez sur le bouton *Configurer* des touches bascules, vous pourrez choisir les éléments de l'écran que vous souhaitez voir clignoter en cas d'événement système.

Son

Les malentendants peuvent demander l'affichage visuel des signaux sonores que Windows 95 émet lors des événements système.

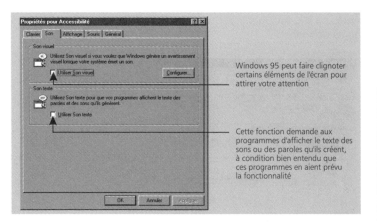

Windows 95 peut faire clignoter certains éléments de l'écran pour attirer votre attention

Cette fonction demande aux programmes d'afficher le texte des sons ou des paroles qu'ils créent, à condition bien entendu que ces programmes en aient prévu la fonctionnalité

Si vous cliquez sur le bouton *Configurer*, vous pourrez choisir les éléments de l'écran qui devront clignoter lors des événements système.

Affichage

Par le choix d'autres couleurs, il est possible d'augmenter sensiblement le contraste de l'écran, d'où une meilleure lisibilité. En complément, les icônes et leurs titres sont agrandis, d'où plus grande facilité de lecture et de sélection par la souris.

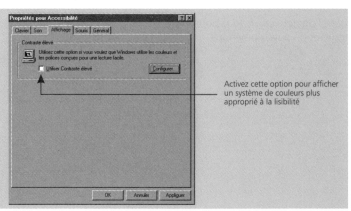

Activez cette option pour afficher un système de couleurs plus approprié à la lisibilité

Windows 95 sur mesure

C 5

R 30

Après un clic sur *Configurer*, vous pourrez adapter les couleurs à vos
goûts personnels.

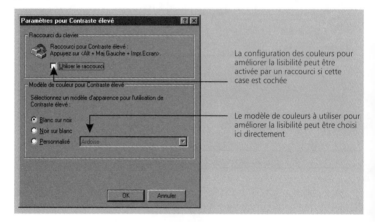

La configuration des couleurs pour
améliorer la lisibilité peut être
activée par un raccourci si cette
case est cochée

Le modèle de couleurs à utiliser pour
améliorer la lisibilité peut être choisi
ici directement

Remarque

L'option *Personnalisé* est assez bizarre car elle propose également le modèle
Windows normal, alors qu'il n'est de loin pas l'idéal pour améliorer la
lisibilité. Heureusement, d'autres propositions sont beaucoup plus efficaces.

Souris

Dans l'onglet *Souris*, vous pourrez activer le pilotage de la souris par les
touches du pavé numérique.

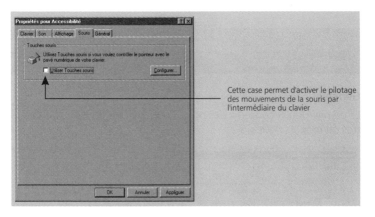

Cette case permet d'activer le pilotage des mouvements de la souris par l'intermédiaire du clavier

Par le bouton *Configurer*, vous pourrez également entreprendre les modifications suivantes :

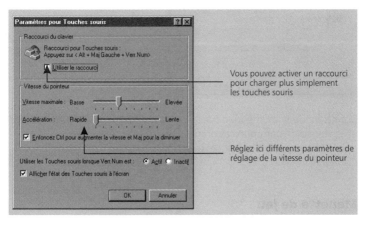

Vous pouvez activer un raccourci pour charger plus simplement les touches souris

Réglez ici différents paramètres de réglage de la vitesse du pointeur

Windows 95 sur mesure

C 5

R 30

Remarque

Si vous souhaitez piloter votre souris au pixel près, pensez à ces touches souris. Le pointeur sera guidé par les touches du pavé numérique et aura une précision sans égale.

Général

Le dernier onglet concerne des options générales relatives aux paramètres du module Accessibilité.

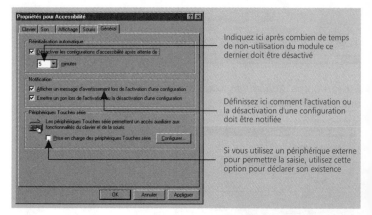

Indiquez ici après combien de temps de non-utilisation du module ce dernier doit être désactivé

Définissez ici comment l'activation ou la désactivation d'une configuration doit être notifiée

Si vous utilisez un périphérique externe pour permettre la saisie, utilisez cette option pour déclarer son existence

Définissez de la même manière le port et la vitesse de communication du périphérique en cliquant sur le bouton *Configurer*.

Manette de jeu

Si vous en avez fait l'expérience au cours de jeux, vous savez certainement qu'il existe une foule de manettes différentes. Elles demandent toutes un étalonnage précis pour fonctionner correctement. Derrière le module *Manette de jeu*, vous disposerez des paramètres nécessaires pour piloter votre joystick.

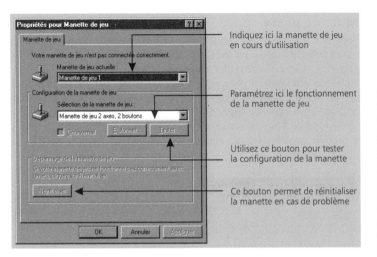

Indiquez ici la manette de jeu en cours d'utilisation

Paramétrez ici le fonctionnement de la manette de jeu

Utilisez ce bouton pour tester la configuration de la manette

Ce bouton permet de réinitialiser la manette en cas de problème

Windows 95 sur mesure

Un clic sur *Etalonner* affiche une nouvelle boîte de dialogue qui vous demandera d'exécuter un certain nombre d'actions avec la manette, pour en assurer l'étalonnage.

1 Lâchez la manette, puis appuyez sur un des boutons de tir. Cliquez sur *Suivant*.

2 Déplacez la manette en cercle, en allant jusqu'aux limites. Cliquez sur *Suivant*.

3 Laissez la manette en position centrale et appuyez à nouveau sur un bouton. Pour enregistrer les informations d'étalonnage, cliquez sur *Suivant*. La fonction de test passe dans une autre boîte de dialogue où vous aurez l'occasion de vérifier le bon fonctionnement de la manette.

C 5

R 30

Mots de passe

Enervant, non, de devoir ranger le Bureau de Windows 95 à chaque fois qu'un autre utilisateur travaille sur votre machine ? Dans le module *Mots de passe*, vous pourrez régler le problème une fois pour toute. Donnez à chaque utilisateur un nom et un mot de passe. Ces éléments seront utilisés au moment de l'ouverture de la session Windows, chacun pouvant aménager son espace de travail à sa guise. Faites un double clic sur le module *Mots de passe*, dans le Panneau de configuration. Dans le premier onglet, il est possible de modifier le mot de passe de chaque utilisateur individuel.

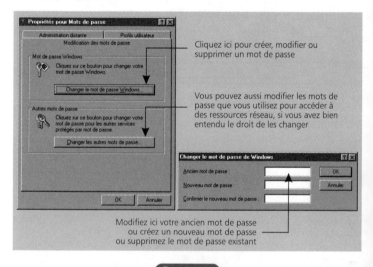

Cliquez ici pour créer, modifier ou supprimer un mot de passe

Vous pouvez aussi modifier les mots de passe que vous utilisez pour accéder à des ressources réseau, si vous avez bien entendu le droit de les changer

Modifiez ici votre ancien mot de passe ou créez un nouveau mot de passe ou supprimez le mot de passe existant

Remarque

Si vous travaillez en réseau, il est possible d'utiliser le même mot de passe pour Windows et pour le réseau. La déclaration à Windows et au réseau sera ainsi faite en un clin d'oeil.

Dans l'onglet *Profils utilisateur*, sélectionnez les options disponibles pour les utilisateurs.

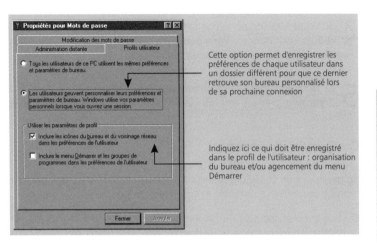

Cette option permet d'enregistrer les préférences de chaque utilisateur dans un dossier différent pour que ce dernier retrouve son bureau personnalisé lors de sa prochaine connexion

Indiquez ici ce qui doit être enregistré dans le profil de l'utilisateur : organisation du bureau et/ou agencement du menu Démarrer

Windows 95 sur mesure

Modems

Tous les contacts que vous établirez à partir de votre PC avec le vaste monde passent par un modem. Comme n'importe quel autre périphérique, le modem doit être configuré dans Windows 95

1 Faites un double clic sur le module Modems du Panneau de configuration. Ceci déclenche la configuration de l'appareil.

2 Pour installer un nouveau modem sous Windows 95, cliquez sur *Ajouter*.

3 Dans la boîte de dialogue, cliquez simplement sur le bouton *Suivant* pour lancer la reconnaissance automatique.

C 5

R 30

4 Si Windows 95 ne reconnaît pas correctement votre modem, cliquez sur *Changer*. Vous pourrez ainsi définir manuellement son type. Dans le cas contraire, cliquez sur *Suivant*.

5 La dernière boîte de dialogue vous informe que le modem est désormais prêt à l'emploi. Un dernier clic sur *Suivant* termine la procédure.

Configuration du modem

Chaque opération ayant trait aux communications à distance nécessite un minimum de configuration et un certain niveau de connaissance est requis pour arriver à paramétrer correctement le modem.

Si vous avez utilisé jusqu'à présent votre modem sans rencontrer de problème, il n'est pas nécessaire d'en modifier les paramètres. Voici ceux dont il faut tenir compte :

1 Appelez les propriétés du modem pour afficher la boîte de dialogue de configuration.

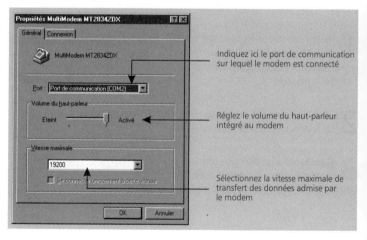

Sur l'onglet *Connexion*, vous aurez accès aux principaux paramètres du modem :

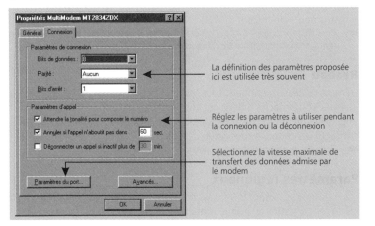

La définition des paramètres proposée ici est utilisée très souvent

Réglez les paramètres à utiliser pendant la connexion ou la déconnexion

Sélectionnez la vitesse maximale de transfert des données admise par le modem

Par le bouton *Avancés*, d'autres options sont encore disponibles. Elles sont importantes pour une bonne qualité de la transmission.

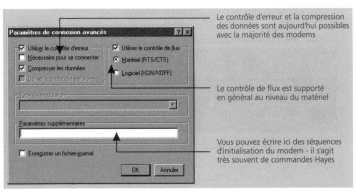

Le contrôle d'erreur et la compression des données sont aujourd'hui possibles avec la majorité des modems

Le contrôle de flux est supporté en général au niveau du matériel

Vous pouvez écrire ici des séquences d'initialisation du modem - il s'agit très souvent de commandes Hayes

Windows 95 sur mesure

C 5

R 30

Multimédia

Windows 95 supporte en standard toute une série de périphériques d'enregistrement ou de diffusion de sons, de fichiers vidéo ou de d'instruments de musique MIDI.

☞ *Consultez la rubrique N° 47 à 51 pour plus d'informations sur tout ce qui concerne les fonctionnalités multimédia de Windows 95.*

Réseau

Le module *Réseau* contient tous les paramètres réseau nécessaires pour intégrer votre machine dans cet ensemble. Le support réseau intégré est une des principales caractéristiques de Windows 95, nous lui avons consacré un chapitre spécifique.

☞ *Consultez la rubrique N° 52 à 58 pour plus d'informations sur les réseaux.*

Paramètres régionaux

Les paramètres variant d'un pays ou d'une région à l'autre, par exemple le format des dates ou l'unité monétaire, sont rassemblés dans le module *Paramètres régionaux*.

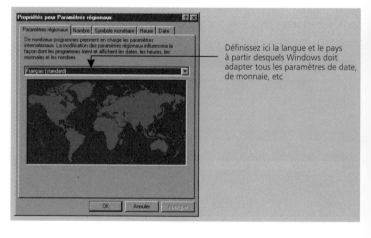

Définissez ici la langue et le pays à partir desquels Windows doit adapter tous les paramètres de date, de monnaie, etc

Dans le premier onglet de la boîte de dialogue, *Paramètres régionaux*, vous trouverez comme valeur par défaut *Français (Standard)*. Cela signifie que tous les chiffres, les dates et valeurs monétaires prendront la forme que vous avez l'habitude de manipuler. Si votre travail se déroule principalement en langue étrangère ou si vous avez fréquemment des conversions de devises à effectuer, vous n'aurez JAMAIS à changer de paramètre.

Pour modifier tous les réglages régionaux, déroulez simplement la liste de ce premier onglet et choisissez l'option qui vous intéresse. Si vous souhaitez modifier une option précise, par exemple le nombre de décimales utilisées ou le format de date, reportez-vous à l'onglet concerné.

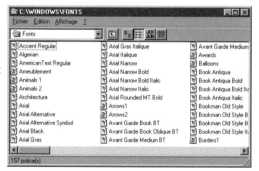

Polices

Les polices de Windows 95 sont stockées dans le dossier Polices. Après un double clic sur ce dossier, la fenêtre affiche un grand nombre d'icônes, chacune correspondant à une police.

Un double clic sur l'une d'entre elles présente un échantillon de la police.

Windows 95 sur mesure

C 5

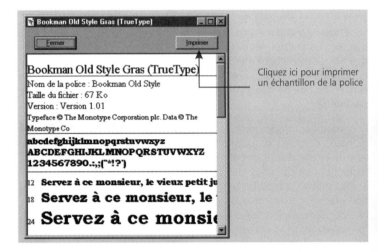

Cliquez ici pour imprimer un échantillon de la police

Il existe divers types de polices

Vous êtes peut-être surpris de trouver deux sortes d'icônes pour ces polices ? En fait, Windows 95 distingue deux types de polices de caractères.

Le premier type est celui des polices non redimensionnables, les caractères étant représentés par de petites images bitmap en dimension fixe. Vous les reconnaîtrez aux chiffres présents dans les noms des polices (si vous ne les voyez pas, désactivez l'option *Masquer les variations*, dans le menu *Affichage*).

Le second type est formé des polices TrueType, reconnaissables par le symbole TT. Ces polices de caractères ne sont pas formées d'images bitmap, mais d'informations concernant la longueur, l'épaisseur et l'orientation des lignes formant les caractères. Ces informations définissent les proportions du caractère, qui ne sont ainsi plus liés à une taille fixe.

Les polices TrueType sont un développement de Microsoft, ce qui explique que Windows 95 soit optimisé à leur égard. Prenez comme règle d'éviter d'installer plus de polices que vous n'en avez besoin. N'oubliez pas que leur gestion est lourde en terme de temps de traitement. La prochaine section vous montrera comment déterminer celles qui sont inutiles.

Installer de nouvelles polices

Si vous souhaitez rajouter de nouvelles polices, appelez la commande *Fichier/Installer la nouvelle police*. Elle ouvre la boîte de dialogue suivante :

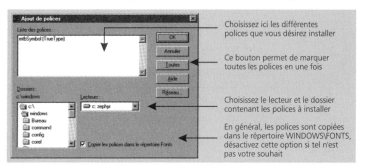

Choisissez ici les différentes polices que vous désirez installer

Ce bouton permet de marquer toutes les polices en une fois

Choisissez le lecteur et le dossier contenant les polices à installer

En général, les polices sont copiées dans le répertoire WINDOWS\FONTS, désactivez cette option si tel n'est pas votre souhait

Après validation par OK, la police est copiée dans le dossier FONTS de Windows 95.

Remarque

Si vous savez où se trouve la nouvelle police, vous pouvez aussi l'installer par glisser-déplacer.

En désactivant l'option *Copier la police dans le répertoire Fonts*, vous économiserez de l'espace disque, les polices seront alors recherchées dans leur répertoire d'origine.

Supprimer des polices superflues

Comme énoncé, les polices ont toujours un coût en temps de traitement et en espace disque, aussi est-il recommandé de ne garder sur le disque que les polices dont vous avez réellement besoin.

Les polices sont souvent très semblables, même si elles portent des noms totalement différents. Pour contrôler votre jeu de polices de caractères, activez l'option *Affichage/Lister les polices selon leurs ressemblances*.

Windows 95 sur mesure

C 5

R 30

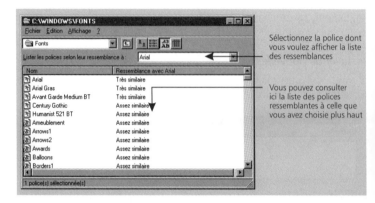

Sélectionnez la police dont vous voulez afficher la liste des ressemblances

Vous pouvez consulter ici la liste des polices ressemblantes à celle que vous avez choisie plus haut

Pour les polices dont vous avez la certitude qu'elles ne vous sont d'aucune utilité, supprimez-les en les sélectionnant et en appuyant sur la touche SUPPR.

Système

Les possibilités offertes par Windows 95 en matière de paramétrage et de configuration sont beaucoup plus vastes et conviviales que celles de Windows 3.x.

Du fait de la reconnaissance automatique du matériel au moment de l'installation, Windows 95 connaît parfaitement les composants de votre machine. Il n'a donc aucun problème pour affecter aux divers périphériques d'autres ressources, désactiver momentanément certains d'entre eux ou gérer des configurations multiples.

Un double clic sur ce module ouvre une boîte de dialogue formée de quatre onglets.

Général

Cet onglet se contente d'afficher des informations sur le système et les données de registre.

Gestionnaire de périphériques

Il vous emmène au coeur de l'ordinateur. En cas de conflit matériel, la liste des composants permet de décider de la désactivation éventuelle d'un périphérique et de modifier les affectations de ressources.

Un problème matériel est notifié par un symbole jaune à côté du nom du composant.

Si vous apercevez ce symbole, il est fort probable que le périphérique en question est indisponible.

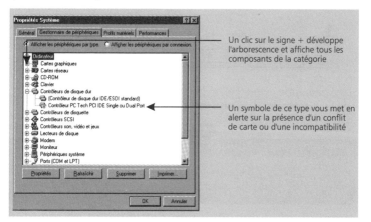

Un clic sur le signe + développe l'arborescence et affiche tous les composants de la catégorie

Un symbole de ce type vous met en alerte sur la présence d'un conflit de carte ou d'une incompatibilité

Windows 95 sur mesure

Si vous cliquez sur *Propriétés*, une boîte de dialogue de trois onglets permet de manipuler les ressources du périphérique, du moins celles qui ne sont pas fixées par des cavaliers au niveau de la carte.

C 5

R 30

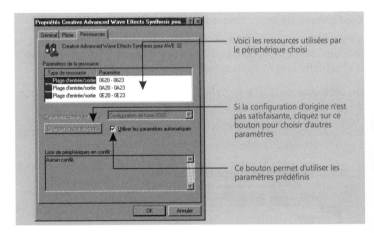

Voici les ressources utilisées par le périphérique choisi

Si la configuration d'origine n'est pas satisfaisante, cliquez sur ce bouton pour choisir d'autres paramètres

Ce bouton permet d'utiliser les paramètres prédéfinis

Si un message vous indique, en bas de l'onglet, qu'aucun conflit n'existe, il n'y a aucune modification à faire.

Remarque

En fonction du type de périphérique sélectionné, les onglets et les paramètres de la boîte de dialogue *Propriétés* peuvent être très différents.

Si votre carte n'est configurable qu'au niveau des cavaliers, un message d'erreur sera affiché au moment du clic sur le bouton de modification.

Dans l'onglet *Pilote* est indiqué le gestionnaire utilisé pour ce périphérique. Un clic sur le bouton *Changer de pilote* permet au besoin de le remplacer par un pilote plus actuel.

Un clic sur cette case désactive le profil standard du matériel

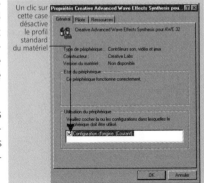

Si vous avez installé plusieurs profils matériels, l'onglet *Général* permet de choisir dans quelle configuration le périphérique sera utilisé.

Profils matériels

En principe, vous n'avez pas besoin en permanence de votre scanner ou de l'accès au réseau. Dans ce cas, il vous sera possible d'économiser les ressources système en créant plusieurs profils matériels et en désactivant ces périphériques dans certains profils. Avec les dernières versions de MS-DOS, une commande dans le fichier CONFIG.SYS permettait déjà l'installation de plusieurs profils. Mais avec Windows 95, la procédure est encore plus simple :

1 Cliquez sur *Copier*, pour créer une copie de la configuration originale.

2 Donnez un autre nom à cette configuration par le bouton *Renommer*.

3 Dans le Gestionnaire de périphériques, vous pouvez ensuite activer ou désactiver individuellement les périphériques dans la configuration.

Si vous avez dupliqué et renommé votre configuration originale, celle qui intègre l'ensemble des périphériques, il reste simplement à passer dans le Gestionnaire de périphérique et à sélectionner successivement les composants, d'appeler leurs propriétés et de choisir dans l'onglet *Général* les profils pour lesquels le périphérique doit être actif.

Au prochain démarrage du système, Windows 95 vous demandera de choisir la configuration à mettre en place.

Windows 95 sur mesure

C 5

R 30

Performances

Cet onglet donne accès à un certain nombre de paramètres ayant une influence directe sur les performances du système. Il s'agira en l'occurrence de l'accélérateur graphique, du cache disque et de la mémoire virtuelle. En l'absence de problème avec Windows 95 et si un message vous indique que le système est configuré de manière optimale, vous n'avez aucune modification à entreprendre.

Un clic sur *Système de fichiers* ouvre une boîte de dialogue permettant d'optimiser les performances de votre disque dur et de votre lecteur de CD-ROM. Cette boîte de dialogue se compose de trois onglets :

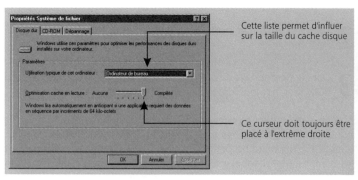

Cette liste permet d'influer sur la taille du cache disque

Ce curseur doit toujours être placé à l'extrême droite

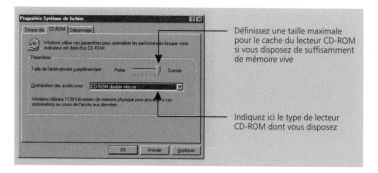

Définissez une taille maximale pour le cache du lecteur CD-ROM si vous disposez de suffisamment de mémoire vive

Indiquez ici le type de lecteur CD-ROM dont vous disposez

Remarque

Dans l'onglet *Dépannage*, il est possible de désactiver un certain nombre de fonctions de Windows 95 si vous avez éliminé toutes les autres sources d'erreur. Mais les performances du système s'en ressentiront. Aussi cette opération doit rester la solution de la dernière chance et il vous faudra connaître parfaitement les différents options proposées.

Revenons à l'onglet *Performances*. Par le bouton *Graphique*, vous aurez l'occasion de désactiver l'accélérateur graphique de Windows 95 pas à pas.

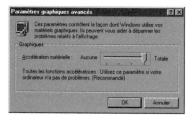

Ceci sera nécessaire en cas de problème, après élimination de toutes les autres sources d'erreur potentielles. Dans des conditions normales, laissez le curseur en place, à droite, car ainsi les possibilités de votre carte graphique seront optimales.

Windows 95 sur mesure

C 5

R 30

Sous *Mémoire virtuelle* est
géré le fichier d'échange de
Windows 95.

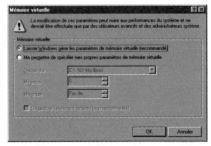

Cette mémoire virtuelle est nécessaire à Windows pour simuler sur le
disque dur un complément de mémoire centrale. Là encore, vous n'aurez
normalement pas de changement à faire. Si les performances de Windows 95 venaient à diminuer au fil du temps, avec des messages
signalant un manque de mémoire, il se peut que le lecteur supportant
la mémoire virtuelle soit plein. C'est ici que vous pourrez éventuellement
changer de lecteur pour les fichiers d'échange.

1 Activez l'option *Me permettre de spécifier mes propres
paramètres de mémoire virtuelle*.

2 Sélectionnez un autre lecteur de disque dur dans la
liste proposée.

Echange de données

Le travail quotidien requiert souvent des échanges de données entre plusieurs applications (par exemple intégration d'un dessin de Paint ou d'un histogramme d'Excel dans un document du traitement de texte Word). Cet échange peut être statique :

➤ *Copier/Couper*, puis *Coller* par l'intermédiaire du Presse-papiers, ou dynamique :

➤ Liaison ou incorporation d'objets par OLE.

Echange statique via le Presse-papiers
☞ Page 178
• Le Presse-papiers dans la pratique
• Le principe de base du Presse-papiers
• Déposer un extrait de données sur le bureau

Echange dynamique de données : OLE 2.0
☞ Page 182
• Concepts de base
• Incorporation - Edition des données incorporées
• Liaison - Une référence vers un fichier externe
• Domaines d'application du Presse-papiers, de l'incorporation et de

Echange de données avec les programmes DOS
☞ Page 190

C 6

R 31

31 Echange statique via le Presse-papiers

Le Presse-papiers est sans conteste l'outil le plus employé dès qu'il est question d'échange de données. Les informations sont coupées ou copiées dans le Presse-papiers, puis collées dans un autre programme.

Remarque

Cette technique peut bien évidemment aussi servir à déplacer des données dans le cadre d'un même document.

Le Presse-papiers dans la pratique

Scénario : vous venez de créer l'en-tête de lettre de vos rêves, avec le programme de dessin Paint, et souhaitez l'intégrer dans une invitation rédigée avec WordPad.

1 Ouvrez Paint et créez l'entête.

2 Cliquez sur l'outil de sélection de Paint et sélectionnez le dessin à traiter.

3 Appelez la commande *Edition/Copier* pour placer ce dessin dans le Presse-papiers.

4 Lancez l'application cible, WordPad, et cliquez à l'endroit où le dessin doit prendre place.

5 Activez la commande *Edi-tion/Coller* ou cliquez sur le bouton correspondant de la barre d'outils.

Le principe de base du Presse-papiers

Les informations coupées ou copiées sont stockées dans le Presse-papiers indépendamment de leur application d'origine. Au moment de la prochaine opération de copie ou de coupe, l'ancien contenu du Presse-papiers est remplacé par le nouvel élément.

Une fois en place dans le Presse-papiers, vous pourrez le coller aussi souvent que nécessaire dans d'autres documents.

Cet échange de données par le Presse-papiers est dit "statique", car l'objet copié ou coupé dans le Presse-papiers ne conserve aucun lien avec son application source. En cas de modification de l'original, la copie du Presse-papiers reste en l'état.

Afficher le contenu du Presse-papiers

Cette opération n'est pas prévue en standard, mais est disponible : il est toujours possible d'afficher le contenu du Presse-papiers et de l'enregistrer dans un fichier indépendant.

Echange de données

C 6

R 31

1 Placez un objet dans le Presse-papiers par *Couper* ou *Copier*.

2 Lancez le Gestionnaire de Presse-papiers. Pour cela, tout dépend de l'installation que vous avez faite : vous pouvez passer par l'Explorateur ou éventuellement par le raccourci de ce programme, que vous avez placé sur le Bureau.

3 Le Presse-papiers est ouvert, affichant son contenu. Avec *Fichier/Enregistrer sous*, vous pourrez en faire un fichier avec extension CLP.

Remarque

Si vous ne trouvez pas le Gestionnaire de Presse-papiers dans votre groupe *Accessoires*, procédez à son installation. Lancez le module *Ajout/Suppression de programmes* du *Panneau de configuration*, activez l'onglet *Installation de Windows* et cliquez sur le composant *Accessoires*. Un clic sur le bouton *Détails* vous permettra d'accéder au Presse-papiers.

Déposer un extrait de données sur le bureau

Le Presse-papiers ne peut contenir qu'un objet unique.

Dès que vous placez un nouvel objet dans ce Presse-papiers, l'ancien est supprimé. Pour contourner cet inconvénient, il est possible de travailler avec des extraits de données.

Cette technique permet de déposer durablement sur le Bureau le contenu du Presse-papiers et de le rappeler rapidement en cas de besoin.

1 Sélectionnez le texte devant servir de base à l'extrait.

2 Tirez-le hors de la fenêtre à l'aide de la souris et déposez-le sur le Bureau. Pour cela, la fenêtre ne doit bien sûr pas occuper tout l'écran.

3 Sur le Bureau, vous verrez apparaître une nouvelle icône, que vous pourrez renommer comme une icône normale.

4 Pour coller un extrait de données dans un document, placez la barre d'insertion dans le document à l'endroit voulu, puis faites glisser l'extrait depuis le Bureau jusque dans la fenêtre du document. Une copie de l'extrait est collée en bonne place, l'original restant sur le Bureau. Lorsque vous n'en aurez plus besoin, supprimez-le.

Remarque

Cette technique permet par exemple de créer une collection de raccourcis de textes avec les adresses ou les formules de politesse les plus courantes. Pour éviter que le Bureau ne soit trop encombré, n'hésitez pas à créer un dossier spécial pour ces extraits.

Cette technique d'échange de données ne fonctionne qu'avec de nouveaux programmes du type WordPad ou Word 7.0. Pour les anciennes versions (par exemple Word 6.0) cette méthode ne fonctionne que partiellement : il est possible de placer un extrait sur le Bureau, mais vous ne pourrez pas le coller en tant que texte dans un autre document, il apparaîtra avec un cadre, sous forme d'un objet.

Echange de données

C 6

R 31

32 Echange dynamique de données : OLE 2.0

La nouvelle version 2.0 d'OLE (Object Linking and Embedding) était déjà livrée avec les versions Word 6.0 et Excel 5.0 pour Windows 3.1. Le nouveau système d'exploitation Windows 95 et le Package Office de Microsoft en ont fait un standard. En ce qui concerne les explications suivantes, notez que OLE 2.0 ne fonctionne de la manière énoncée qu'avec des applications compatibles (Excel 7.0, WordPad, Word 7.0, etc.). Sachez également que les manipulations des programmes avec OLE varient d'une application à l'autre.

Concepts de base

Pour bien comprendre un sujet de la complexité d'OLE 2.0, une petite présentation des concepts de base est indispensable.

➤ OLE

Il s'agit de l'abréviation d'Object Linking and Embedding, c'est-à-dire Liaison et incorporation d'objets. En fait, il s'agit de deux techniques fondamentalement différentes : incorporé, un objet sera modifiable dans le programme cible avec les outils du programme source, alors que lié, cet objet n'existera dans le fichier cible que sous forme d'une référence.

➤ Objet

On appelle objet toute information créée sous Windows 95 avec un programme quelconque : fichier de format divers (BMP, DOC, XLS, AVI, WAV, CDR, etc.), morceaux de fichiers, par exemple une chaîne de caractères copiée dans le Presse-papiers.

➤ Serveur (application)

Le serveur, ou plutôt l'application serveur est la source, le producteur de l'objet à échanger.

➤ Client (application)

Le client ou l'application cliente est la cible, dans laquelle l'objet échangé vient prendre place.

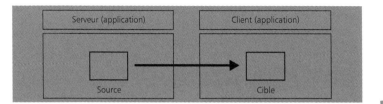

Incorporation- Edition des données incorporées

Incorporer un objet signifie déposer dans l'application cible une copie de l'objet original. Cette copie peut être incorporée sous forme d'objet ou d'icône. Elle devient indépendante de l'objet source, les modifications ou la suppression sur ce dernier n'ont donc aucune incidence sur l'objet incorporé. Un double clic sur l'objet incorporé ouvre cet objet source dans l'application cible. Vous pouvez ainsi l'éditer avec les outils de l'application source, directement dans l'application cible. Cette technique est appelée "In Place Editing".

Incorporer un objet en un clin d'oeil

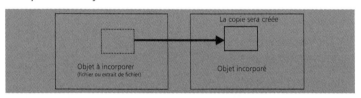

Caractéristiques des objets incorporés :

➤ Partie intégrante du document.

➤ Double clic : ouvre l'application cible pour permettre la modification de l'objet sélectionné.

➤ Indépendance entre l'objet source et l'objet incorporé : les modifications effectuées sur ce dernier n'affectent pas l'objet source.

Echange de données

C 6

R 32

Incorporation par le Presse-papiers

Les deux premières étapes sont identiques à un simple Copier/Coller par le Presse-papiers :

1 Sélectionnez l'élément à incorporer, dans l'application serveur, et copiez le dans le Presse-papiers.

2 Collez-le dans l'application client par la commande *Edition/Coller*.

3 Faites un double clic sur l'objet incorporé. Ici, vous disposez des outils de Paint dans WordPad. Les deux programmes sont combinés.

4 Après avoir effectué les modifications, cliquez à un endroit quelconque du document cible pour revenir à la fenêtre de WordPad.

Remarque

Un objet incorporé sélectionné peut être redimensionné et déplacé dans l'application cible.

Paint et WordPad n'ont pas les mêmes capacités OLE. Il n'est pas possible d'incorporer un texte WordPad dans Paint.

Dans certains programmes (Excel, Word), vous pourrez appeler l'application serveur directement par des boutons de la barre d'outils standard.

Incorporation sans le Presse-papiers

Il est parfaitement possible d'incorporer un objet sans ouvrir au préalable l'application source. En d'autres termes : lancez l'application serveur directement à partir de l'application cible.

1 Placez le curseur d'insertion à l'endroit où l'objet doit prendre place.

2 Appelez la commande *Insertion/Objet* et choisissez le type d'objet requis (par exemple Image Bitmap pour un dessin Paint).

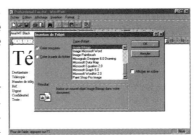

3 Si vous souhaitez créer l'image, activez l'option correspondante. Laissez l'option d'affichage sous forme d'icône désactivée, sinon vous ne verrez pas le dessin dans l'application cible et ne pourrez pas le modifier par "In Place Editing".

4 Après un clic sur *OK*, WordPad met à votre disposition une zone de dessin Paint.

5 Cliquez à un endroit vide du document (en dehors du dessin) pour revenir à WordPad.

Remarque

Au lieu d'incorporer ainsi un nouveau fichier, vous pouvez également faire appel aux fichiers existants. Cliquez pour cela sur l'option *Créer à partir du fichier*. Après un clic sur le bouton *Parcourir*, vous pourrez localiser le fichier en question.

Echange de données

C 6

R 32

Liaison - Une référence vers un fichier externe

Les objets liés peuvent être intégrés comme les objets incorporés, comme icône d'objet ou comme objet normal.

A l'inverse des objets incorporés, l'objet lié n'est pas une copie, il s'agit d'une représentation de l'objet source dans l'application cible. Il ne fait pas partie du document cible et ne gonfle pas son volume sur le disque dur. Comme une ombre, l'objet lié est intimement dépendant de l'objet source. Toute modification de la source est automatiquement répercutée sur l'objet lié, au plus tard au moment de l'ouverture du document cible. En principe, à chaque chargement du document cible, l'objet lié est mis à jour par rapport à la source. Comme dans l'incorporation, il est possible de modifier l'objet lié par un double clic. Mais ici, l'application source est chargée séparément et n'intègre pas l'application cible avec ses outils. Les liaisons peuvent concerner des fichiers complets ou des parties de fichier. Ces deux objectifs supposent deux techniques différentes.

Liaison de fichier en un clin d'oeil

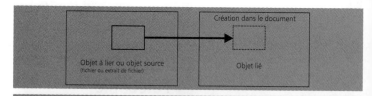

Caractéristiques des objets liés :

➤ Un objet lié n'est pas seulement une représentation de l'objet source dans l'application cible. Cette représentation est et restera donc dépendante de l'objet source: les modifications apportés seront automatiquement mises à jour dans le document.

➤ Double clic : ouvre l'application source pour permettre des modifications sur l'objet sélectionné.

➤ Lien sous forme d'icône d'objet ou d'objet normal.

1 Cliquez à l'emplacement où l'objet lié doit être mis prendre place.

2 Appelez la commande *Insertion/Objet*. Indiquez le chemin d'accès au fichier externe dans le champ *Nom* ou utilisez le bouton *Parcourir* pour le localiser.

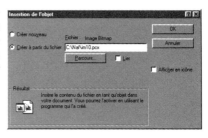

3 Activez la case à cocher *Lier*. Elle est à l'origine de la différence fondamentale entre incorporation et liaison. Validez par *OK*.

4 Le résultat est identique à l'incorporation, du moins à première vue. La taille et la position de l'objet lié sont librement modifiables. Ces opérations n'ont aucune incidence sur l'original.

Modification du fichier lié

➤ Première solution : ouvrez séparément le programme serveur (par exemple Paint), effectuez les changements et enregistrez-les. Au prochain chargement du document cible dans l'application cliente (par exemple WordPad), la liaison sera actualisée. Certains programmes disposent même de fonctions permettant une actualisation à la demande.

➤ Un double clic sur l'objet lié dans le programme client lance le programme serveur et y charge le fichier. Si vous procédez à des modifications, vous en verrez directement les effets dans l'application cliente.

Le retour à l'application cible est possible de deux manières : en réactivant l'application par un clic dans sa fenêtre ou en quittant l'application source.

Liaison de parties de fichiers

Les liaisons ne sont pas limitées à l'insertion de fichiers complets, elles peuvent aussi concerner des morceaux de fichiers, copiés ou coupés. Pour cette variante, nous ferons à nouveau appel au Presse-papiers. La liaison d'une partie de fichier n'est pas supportée par Paint. Si vous désirez utiliser cette fonctionnalité, utilisez plutôt Corel PHOTOPAINT!

1 Lancez le programme serveur et créez ou ouvrez le fichier source. En cas de création, notez qu'il est impératif que le fichier soit enregistré pour que cette méthode fonctionne.

2 Sélectionnez la partie du fichier que vous souhaitez transférer.

3 Appelez la commande *Edition/Copier* ou *Couper* pour placer la sélection dans le Presse-papiers.

4 Dans l'application cliente, placez le curseur à l'endroit voulu et appelez la commande *Edition/Collage spécial* puis activez l'option *Collage avec liaison*.

5 Le contenu du Presse-papiers est inséré dans le document cible.

Modification du fichier lié

➤ Si le fichier original est modifié et si les changements sont enregistrés, les modifications seront automatiquement mises à jour dans le document cible lors de sa prochaine ouverture.

➤ Un double clic sur l'objet dans la cible déclenche également la procédure de mise à jour : le programme serveur est chargé séparément avec l'objet. Après édition, enregistrez les modifications et quittez le serveur.

Domaines d'application du Presse-papiers, de l'incorporation et de la liaison

Les différentes variantes de l'échange de données ont chacune des avantages et des inconvénients.

Le choix d'une méthode se fera en fonction de la situation.

Echange de données

C 6

R 32

	Avantages	Inconvénients
Presse-papiers	Variante très rapide. Ne demande aucune préparation et pas d'enregistrement dans le fichier source. Utilisable pour des restructurations de fichier	Danger de perte de données. Pas d'actualisation en cas de modification de la source.
Incorporation	Possibilité de modification rapide grâce à l'In Place Editing. Objet intégré dans le document cible, donc copie et transmission facile de ce document.	Le volume des données peut devenir extrêmement important. Pas d'actualisation en cas de modification dans l'application source.
Liaison	Pas d'augmentation de la taille du document cible. Actualisation automatique du fichier cible en cas de modification de la source.	Si le fichier source est supprimé ou déplacé, l'objet lié ne pourra plus être affiché dans le document cible. Les copies et transmissions du document cible supposent également le transfert des fichiers liés.

33 Echange de données avec les programmes DOS

Les programmes DOS et Windows utilisent conjointement le Presse-papiers.

Ainsi est-il possible d'échanger sans problème du texte de Word 5 pour DOS vers WordPad et inversement.

Le programme DOS doit être exécuté dans une fenêtre. Utilisez au besoin la combinaison de touches **Alt**+**Entrée** pour y parvenir.

2 Cliquez sur l'outil de sé-lection de la barre d'ou-tils de la fenêtre DOS et sé-lectionnez le texte à repren-dre. Cliquez ensuite sur le bouton *Copier*.

3 Positionnez le curseur à la bonne place dans le fichier cible et cliquez sur le bouton *Coller*.

Echange de données

C 6

R 33

Le DOS de Windows 95

Windows 95 est livré avec une nouvelle version du DOS. Il n'est d'aucune utilité pour Windows 95 ou les programmes Windows; il ne sert qu'aux programmes DOS. Le DOS de Windows 95 est copié au moment de l'installation dans le dossier \Windows\Command. Même si de nos jours, la plupart des programmes professionnels DOS ne sont plus en mesure de rivaliser, il n'empêche que beaucoup de jeux célèbres fonctionnent sous DOS, et pas des moindres. Les jeux Windows 95 seront de plus en plus nombreux, mais durant la phase de transition, une bonne collaboration entre DOS et Windows 95 est indispensable.

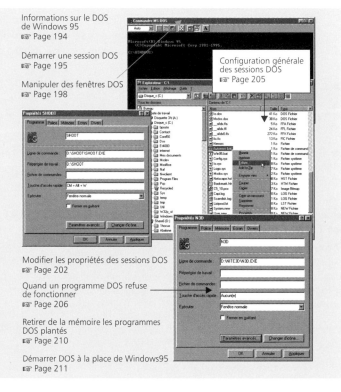

34 Informations sur le DOS de Windows 95

Le démarrage

Il y a plusieurs possibilités pour démarrer des programmes DOS ou arriver à l'invite DOS. Les variantes se distinguent essentiellement par les versions DOS et la capacité à utiliser les ressources Windows.

➤ Appelez l'invite DOS en mode fenêtre ou plein écran. A partir de là, vous pourrez démarrer tous vos programmes DOS.

➤ Pour démarrer certains programmes DOS, inutile de faire le détour par l'invite. Double cliquez simplement sur l'icône du programme. Ainsi le DOS fonctionnera de manière invisible, en arrière-plan. En principe, le programme pourra fonctionner aussi bien dans une fenêtre qu'en plein écran. Comme avec l'invite, il est possible de gérer en parallèle plusieurs fenêtres DOS.

➤ Si le programme refuse de fonctionner dans une session normale DOS sous Windows, essayez le mode DOS. Dans ce cas, Windows 95 se retire presque entièrement de la mémoire et transmet les commandes du système au programme DOS.

➤ Vous pouvez également charger votre ancien DOS s'il se trouve encore sur le disque dur. Ceci n'est cependant possible que durant la phase de démarrage du système.

Pourquoi avoir conservé les fichiers AUTOEXEC.BAT et CONFIG.SYS ?

Windows 95 n'a pas besoin de ces deux fichiers, mais ils sont indispensables au bon fonctionnement de DOS. Lors du démarrage de la machine, les fichiers AUTOEXEC.BAT et CONFIG.SYS sont exploités. Les informations ainsi chargées sont employées par les sessions DOS comme configuration de base.

Cela dit, chaque session DOS peut aussi être configurée individuellement, principalement en matière de gestion de la mémoire.

Plus de mémoire pour les sessions DOS

Lors du démarrage d'une session DOS sous Windows 95, vous dispose-rez en général de plus de mémoire (sans aucune optimisation manuelle) qu'avec la version précédente de MS-DOS. Ceci est dû au remplacement des pilotes 16 bit par des pilotes 32 bit compatibles. Ces nouveaux pilotes n'interfèrent pas au niveau de la mémoire conventionnelle, ils sont chargés en mémoire XMS. Windows 95 est livré avec bon nombre de ces pilotes (appelés aussi Virtual Device Driver). Ils gèrent par exemple les fonctions réseau, le pilotage des cartes son et d'autres composants matériels standard tels que CD-ROM. L'intégration de ces pilotes se fait automatiquement.

Protection anti-virus

Les programmes anti-virus en 16 bit sont sans effets sous Windows 95, car la nouvelle version Windows utilise un autre système de fichiers que DOS. C'est la raison pour laquelle ces anti-virus ne sont pas capables de surveiller le système.

Conseil : procurez-vous un anti-virus 32 bit.

35 Démarrer une session DOS

La règle est la même pour toutes les sessions DOS sous Windows 95 : les périphériques intégrés avec des pilotes 32 bit (souris, CD-ROM) sont disponibles pour ces sessions. Ainsi, si vous souhaitez utiliser la souris dans Norton Commander ou Word pour DOS, rien ne vous en empêche.

Accès à l'invite DOS

Lorsque vous appelez l'invite DOS, vous arrivez à un DOS vierge : seul l'interpréteur de commandes est chargé.

A partir de là, tout est possible : lancer des commandes DOS, appeler des programmes DOS ou Windows 95, etc.

Le DOS de Windows 95

C 7

R 35

1 Déroulez le menu *Démarrer* et la commande *Programmes*. Dans ce sous-menu, cliquez sur *Commande MS-DOS*.

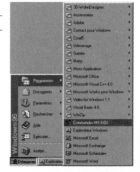

Une nouvelle fenêtre apparaît : la fenêtre DOS.

2 Travaillez comme d'ordinaire avec les commandes DOS ou lancez des programmes.

Remarque

Il est possible de placer sur le Bureau de Windows 95 un raccourci des commandes DOS, comme pour n'importe quel autre programme.

Les noms de fichier longs sous DOS

Windows 95 supporte des noms de fichier allant jusqu'à 256 caractères. Avec DOS (même avec la version livrée avec Windows 95), ces noms de fichiers sont limités à 8 caractères pour le nom et 3 caractères pour l'extension.

Pour assurer une compatibilité, Windows 95 gère en parallèle les noms longs et leur version abrégée, comme avec l'ancien standard. Si vous jetez un coup d'oeil sur le contenu d'un répertoire par la commande DIR, vous le remarquerez aisément.

Vous découvrirez aussi la méthode d'abréviation utilisée par Windows 95. Le nom est réduit à 6 caractères, auxquels sont rajoutés un tilde ($\sim$) et un numéro d'ordre. Cela dit, vous pouvez aussi utiliser les noms longs dans les sessions DOS, il suffit pour cela de placer le nom long entre guillemets.

Par exemple :

```
Copy "Mon fichier long.txt" a:
```

Autres particularités des commandes DOS

➤ A partir d'une session DOS, il est possible de lancer un programme Windows par la commande START. Exemple :

```
C:\>Start Word
```

➤ Vous chercherez en vain certaines commandes DOS telles que Scandisk, Defrag ou Undelete. Utilisez en remplacement les programmes Windows 95 correspondants. Ne copiez surtout pas les anciennes commandes DOS à nouveau sur votre disque dur, elles sont absolument interdites.

➤ La commande Xcopy a été étendue de quelques paramètres. Le programme Xcopy32 travaille sensiblement plus vite que la version 16 bit.

➤ Les tâches DOS savent également fonctionner en arrière-plan si vous activez la fonction correspondante par l'icône. Cette technique est intéressante pour décompacter de gros volumes de fichiers ou pour télécharger des fichiers par un programme de communication à distance.

Lancer directement les programmes DOS

Lancer les programmes DOS à partir de l'invite DOS devient rapidement un exercice fastidieux.

Il existe une technique beaucoup plus directe pour cela : les programmes DOS peuvent faire l'objet de raccourcis posés sur le Bureau, comme leur pendant Windows, ou être intégrés dans le menu *Démarrer*.

Le DOS de Windows 95

C 7

R 35

> ### Remarque
>
> Les programmes DOS ne fonctionnent pas tous par un double clic sur l'icône. Certains réclament impérativement une commande de chargement au niveau de l'invite DOS, car ils attendent des arguments complémentaires.

Chercher et rendre accessibles des programmes DOS

Vos anciens programmes DOS sont quelque part sur votre disque dur. Au lieu de confier la recherche à l'Explorateur, demander à Windows lui-même de s'en charger. Dans le doute, vous n'aurez même pas à connaître le nom du programme, même si cette information accélère les choses.

1 Appelez la commande *Rechercher* dans le menu *Démarrer* et cliquez sur *Fichiers ou Dossiers*. Si vous connaissez le nom du programme, indiquez-le.

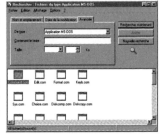

2 Pour trouver tous les programmes DOS, activez l'onglet *Avancée*, ouvrez la liste des types et sélectionnez la mention *Application MS-DOS*.

3 Lorsque toutes les options de recherche sont en place, cliquez sur *Rechercher maintenant*. Vous trouverez l'ensemble de vos applications DOS dans la partie inférieure de la fenêtre de recherche.

Par un double clic, vous pourrez charger directement les applications ainsi trouvées. Pour les rendre accessibles rapidement et durablement, tirez-les avec le bouton gauche de la souris jusque sur le Bureau.

36 Manipuler des fenêtres MS-DOS

Les fenêtres DOS, qu'il s'agisse de fenêtres de commande ou d'application DOS, ont toutes certaines choses en commun. Parmi ceux-ci, vous remarquerez la barre d'outils et les paramètres de modification de taille de la fenêtre.

Commuter entre le mode Plein écran et le mode Fenêtre

➤ La combinaison des touches **Alt**+**Entrée** permet de passer du plein écran au mode Fenêtre et inversement.

➤ Si la barre d'outils est affichée dans votre fenêtre MS-DOS, vous pouvez aussi faire appel au bouton Plein écran. En plein écran, la barre d'outils n'est pas visible, vous n'aurez donc pas d'autre solution que la combinaison des touches **Alt**+**Entrée**.

Modifier la taille de la fenêtre

Si votre programme DOS fonctionne dans une fenêtre, vous aurez une autre méthode pour modifier la taille de la fenêtre, en plus de la technique bien connue consistant à déplacer les bordures de la fenêtre. Cette variante utilise la barre d'outils de la fenêtre.

1 Tout à gauche de la barre d'outils se trouve une liste déroulante. Choisissez une autre taille de police et vous constaterez que la fenêtre change de dimension.

Invite DOS en 4 x 6...   *...et en 12 x 22*

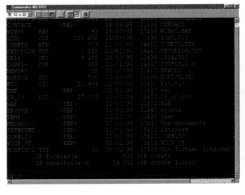

2 Si vous optez pour l'option *Auto*, c'est la police utilisée dans la fenêtre qui sera automatiquement adaptée à la taille de la fenêtre.

Remarque

➤ Sur les écrans graphiques tels que ceux des jeux, le choix d'une taille de police ou l'option *Auto* n'ont aucune incidence.

➤ Lors de la réduction d'une fenêtre DOS graphique, ce n'est pas le contenu de la fenêtre qui est réduit, c'est la partie visible du contenu qui diminue. A vous de jouer ensuite avec les barres de défilement.

➤ Tous les jeux n'acceptent pas de fonctionner dans une fenêtre. En cas de problème, un message vous sera affiché.

➤ Avec l'icône de police, vous pourrez définir la police à employer dans la fenêtre DOS. A vous de choisir si vous ne souhaitez voir que les polices Bitmap ou si vous désirez aussi les polices TrueType. Rappelez-vous que les polices Bitmap sont en taille fixe.

Refermer la fenêtre DOS

Invite

La commande *Exit* (suivi par l'activation de la touche **Entrée**) referme la fenêtre de commande DOS. Autre solution : cliquez sur le bouton *Fermer*, à droite de la barre de titre.

Programme DOS

Par le bouton de fermeture vous pourrez également quitter les programmes DOS. Un message vous sera cependant présenté, indiquant que l'application n'est pas abandonnée automatiquement. Cependant, si vous cliquez sur le bouton *Oui*, l'application

est refermée. Dans cette variante, rappelez-vous qu'il y a un risque de perte de données. En cas de clic sur le bouton *Oui* alors que dans le programme vous n'aviez pas encore enregistré les modifications, tout est perdu, sans aucun avertissement. Il est plus sûr de quitter les applications DOS par les commandes prévues à cet effet (**F10** sous Norton Commander, **Esc**+**Q** sous Word 5, etc.).

Le DOS de Windows 95

C 7

R 36

37 Modifier les propriétés des sessions DOS

Les propriétés des sessions DOS sont facilement modifiables. Elles ne s'appliquent qu'à la session en cours et n'ont pas de caractère général. Trois solutions s'offrent à vous pour accéder à ces propriétés :

➤ Cliquez sur l'icône du programme DOS avec le bouton droit de la souris et appelez la commande *Propriétés* du menu contextuel.

➤ Cliquez sur le bouton *Propriétés* de la fenêtre de l'application DOS active.

➤ Ouvrez le menu déroulant de la case système, à gauche de la barre de titre. Là aussi, vous trouverez la commande *Propriétés*.

L'onglet Programme

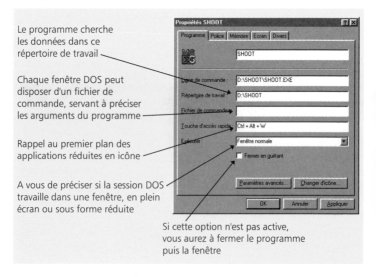

Le programme cherche les données dans ce répertoire de travail

Chaque fenêtre DOS peut disposer d'un fichier de commande, servant à préciser les arguments du programme

Rappel au premier plan des applications réduites en icône

A vous de préciser si la session DOS travaille dans une fenêtre, en plein écran ou sous forme réduite

Si cette option n'est pas active, vous aurez à fermer le programme puis la fenêtre

> **Remarque**
>
> A l'aide du fichier de commande vous pourrez adapter la session à vos besoins. Profitez-en pour lancer dans ce fichier les commandes du fichier AUTOEXEC.BAT qui n'ont pas été exploitées (par exemple Doskey).

L'onglet Mémoire

En règle générale, vous n'aurez pas à toucher à ces paramètres. La valeur par défaut *Auto* donne de bons résultats. Quelques applications nécessitent toutefois un réglage manuel.

L'onglet Ecran

Cet onglet permet de doter le programme de quelques options pour le démarrage de l'application.

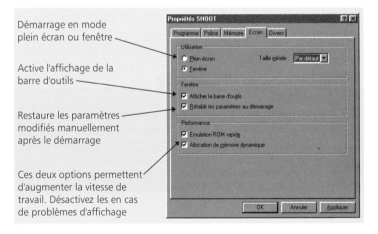

Démarrage en mode plein écran ou fenêtre

Active l'affichage de la barre d'outils

Restaure les paramètres modifiés manuellement après le démarrage

Ces deux options permettent d'augmenter la vitesse de travail. Désactivez les en cas de problèmes d'affichage

Le DOS de Windows 95

C 7

R 37

L'onglet Divers

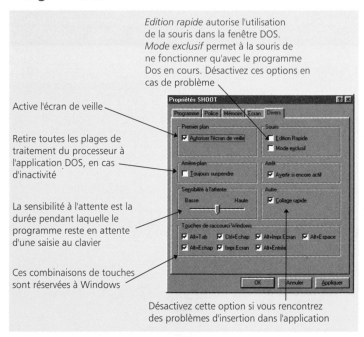

Edition rapide autorise l'utilisation de la souris dans la fenêtre DOS. _Mode exclusif_ permet à la souris de ne fonctionner qu'avec le programme Dos en cours. Désactivez ces options en cas de problème

Active l'écran de veille

Retire toutes les plages de traitement du processeur à l'application DOS, en cas d'inactivité

La sensibilité à l'attente est la durée pendant laquelle le programme reste en attente d'une saisie au clavier

Ces combinaisons de touches sont réservées à Windows

Désactivez cette option si vous rencontrez des problèmes d'insertion dans l'application

---

Remarque

➤ L'option _Arrière-plan/Toujours suspendre_ est intéressante pour les programmes qui attendent la saisie de données de la part de l'utilisateur (traitements de texte, mais aussi jeux). Elle permet un gain de productivité du processeur pour les applications à l'avant-plan.

➤ Si vous déplacez le curseur de sensibilité à l'attente vers la gauche, sur la position Basse, le programme attendra plus longtemps les saisies de l'utilisateur.

38 Configuration générale des sessions DOS

Toutes les sessions DOS sous Windows 95 sont basées sur la même configuration de départ. Cette configuration est définie au démarrage de Windows par la lecture des fichiers AUTOEXEC.BAT et CONFIG.SYS.

Si vous souhaitez définir un paramètre à appliquer à toutes les sessions, effectuez les changements dans ces fichiers.

Voici comment modifier le fichier AUTOEXEC.BAT :

1 Lancez l'Explorateur et cliquez sur l'icône du disque dur de démarrage.

2 Dans la liste des fichiers de droite, localisez le fichier à modifier. Cliquez dessus avec le bouton droit pour en ouvrir le menu contextuel.

3 Cliquez sur la commande *Edition* pour charger l'éditeur (n'activez pas *Ouvrir*, sinon le fichier est simplement exécuté).

4 Faites les modifications qui s'imposent, enregistrez-les et refermez l'éditeur.

5 Les changements seront pris en compte au prochain démarrage de Windows 95.

Pour modifier le CONFIG.SYS, la procédure est un peu différente : dans le menu contextuel, activez

Le DOS de Windows 95

C 7

R 38

la commande *Ouvrir avec*. Dans la liste des programmes proposés, choisissez un éditeur (par exemple le Bloc-notes NOTEPAD). Si vous souhaitez ouvrir systématiquement le CONFIG.SYS avec ce programme, activez la case à cocher *Toujours utiliser ce programme pour ouvrir les fichiers de ce type*.

> **Remarque**
>
> Attention, à ne pas confondre : dans le répertoire racine de votre disque dur de démarrage, vous trouverez également les fichiers CONFIG.DOS et AUTO-EXEC.DOS. Ceux-ci sont utilisés pour votre ancienne version MS-DOS.

39 Quand un programme DOS refuse de fonctionner

Si vous rencontrez des problèmes avec un programme DOS (il refuse de se charger, affiche un message d'erreur, etc.) deux "solutions" sont possibles :

➤ Modifiez les propriétés du programme pour forcer son fonctionnement dans une fenêtre ou en mode plein écran.

➤ Si cela ne change toujours rien, lancez le programme en mode MS-DOS.

Problèmes avec les propriétés du programme

Sur l'onglet *Ecran* de la boîte de dialogue *Propriétés*, vous pouvez expérimenter la désactivation de deux options pour tenter de forcer le programme DOS à fonctionner.

➤ L'option *Emulation ROM rapide* a pour effet d'accélérer les programmes travaillant en mode texte. Pour contourner les accès lents du BIOS, Windows copie cette zone en mémoire. Mais attention, tous les programmes ne travaillent pas de cette manière.

➤ La fonction *Allocation de mémoire dynamique* a pour effet, au moment de la commutation du mode graphique vers le mode texte, de mettre la mémoire libérée à disposition des applications. En cas de problème, désactivez cette option.

L'onglet *Mémoire* propose elle aussi une éventuelle solution :

Si votre application DOS provoque sans raison apparente un plantage du système, activez l'option *Protégé* du groupe *Mémoire conventionnelle*. Le programme ralentit bien un peu, par contre la stabilité du système est bien meilleure. La mémoire est protégée contre tous les accès litigieux. En cas de plantage, le programme responsable sera abandonné, mais Windows 95 continue son travail.

Deux autres options sont également disponibles dans les *Propriétés avancées*. Pour y accéder, cliquez sur l'onglet *Programme* de la boîte de dialogue *Propriétés* puis sur le bouton *Paramètres avancés*.

➤ Un message d'erreur du programme DOS associé à un refus de démarrer peut être du à la détection de Windows. Si cette façon de faire se justifiait avec les anciennes versions de Windows, avec Windows 95 vous avez la possibilité de désactiver cette reconnaissance.

➤ Activez l'option *Suggérer le mode MS-DOS approprié*. Dans ce cas, Windows 95 reconnaît automatiquement si le programme doit fonctionner en mode MS-DOS et réagit par un message adéquat.

Le DOS de Windows 95

C 7

R 39

La meilleure solution : le mode MS-DOS

Il existe des programmes que vous n'arriverez à lancer qu'avec cette astuce. Il s'agit en général des applications programmées de telle manière qu'elles accèdent directement au matériel (écran, carte son, horloge, etc.). C'est très souvent le cas avec les jeux DOS, car c'est ainsi qu'ils sont optimisés.

La seule solution sera de démarrer en mode DOS. Windows 95 est réduit à une portion congrue et donne le contrôle total du système au programme appelé. A la fin du jeu, le module de démarrage de Windows 95 est à nouveau chargé.

> **Remarque**
>
> ➤ Vous pouvez également utiliser le mode MS-DOS si un jeu présente des difficultés de fonctionnement.
>
> ➤ Les programmes Windows sont indisponibles pendant que le système fonctionne en mode MS-DOS.

Activer le mode MS-DOS

1 Cliquez sur l'icône du programme DOS avec le bouton droit et appelez ses propriétés dans le menu contextuel.

2 Activez l'onglet *Programme* et cliquez sur le bouton *Paramètres avancés*.

3 Activez le mode MS-DOS. Intéressant aussi, l'avertissement lié à ce mode. Validez par OK.

4 Lorsque vous lancerez le programme, un message d'avertissement sera affiché (si vous avez coché l'option correspondante), permettant au besoin d'arrêter l'opération. Cliquez sur *Oui* pour refermer toutes les applications actives. Windows 95 passe le relais au programme DOS, qui est chargé en exclusivité.

Propriétés du mode MS-DOS

Au démarrage du mode MS-DOS, les fichiers AUTOEXEC.BAT et CONFIG.SYS sont exécutés. Cela dit, il est possible de générer pour chaque session DOS des variantes de ces fichiers d'initialisation. Ceci est intéressant si les modifications ne concernent que le programme en cours, et pas l'ensemble des sessions DOS.

1 Dans la boîte de dialogue *Paramètres de programme avancés*, activez l'option *Spécifier une nouvelle configuration MS-DOS*.

Le DOS de Windows 95

C 7

R 39

2 Insérez les lignes requises ou supprimez celles qui sont inutiles dans les zones CONFIG.SYS et AUTOEXEC.BAT.

3 Avant de travailler au niveau des lignes, pensez à cliquer sur le bouton *Configuration*. Vous pourrez y désactiver certains éléments par un clic de souris.

40 Retirer de la mémoire les programmes DOS plantés

En cas de plantage d'un programme DOS, vous devrez le supprimer manuellement de la mémoire. La procédure revient à mettre un terme à la tâche DOS qui ne répond plus.

1 Appuyez sur les touches **Ctrl**+**Alt**+**Suppr**

2 La fenêtre ouverte présente l'ensemble des tâches actives. L'application plantée y est référencée.

3 Sélectionnez ce programme dans la liste et cliquez sur le bouton *Fin de tâche*. Une deuxième fenêtre de confirmation apparaît. Après validation, le programme disparaît de la mémoire. Attention, toutes les données non enregistrées de ce programme sont perdues.

41 Démarrer DOS à la place de Windows 95

Il est possible de démarrer des sessions purement DOS 7 et de lancer des programmes ne travaillant qu'en mode MS-DOS.

➤ Démarrez le PC. A l'apparition du message "Démarrage de Windows 95", appuyez sur la touche *F8*. Windows affiche un menu. Tapez **6** (pour "Ligne de commande uniquement") et validez par la touche **Entrée**. Pour lancer Windows 95 à partir de MS-DOS 7, tapez WIN et validez par *Entrée*.

➤ Si Windows 95 est déjà en activité, ceci ne vous empêche pas de lancer une session strictement DOS : cliquez sur le menu *Démarrer* et appelez la commande *Arrêter*. Choisissez ensuite l'option *Redémarrer l'ordinateur en mode MS-DOS*.

Remarque

Si vous avez conservé votre ancien DOS sur le disque dur, vous pourrez aussi l'utiliser. Durant la phase de démarrage de Windows 95, appuyez sur la touche **F8**, tapez **8** et validez par **Entrée**. Cette action charge votre ancienne version de MS-DOS. Mais attention : n'utilisez sous aucun prétexte les anciennes commandes DOS Defrag, Scandisk, Dblspace, Drvspace et Undelete !

Le DOS de Windows 95

C 7

R 41

Programmes d'accompagnement

Vous les trouverez dans le dossier *Accessoires* (*Démarrer/Programmes/ Accessoires*).

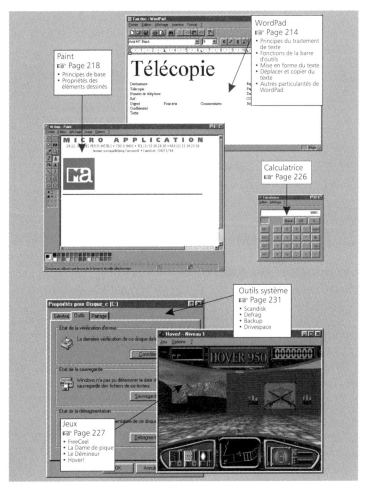

42 Ecrire avec WordPad

Le traitement de texte WordPad est une version allégée de son grand ·frère Word. Son utilisation est sensiblement identique, les fichiers Word peuvent être lus et WordPad sait aussi enregistrer au format Word. C'est un programme facile à utiliser, avec des fonctions OLE, mais ne disposant pas de fonctionnalités telles que les en-têtes et pieds de page ou l'interlignage.

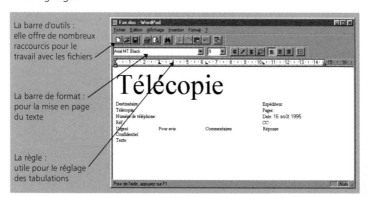

La barre d'outils : elle offre de nombreux raccourcis pour le travail avec les fichiers

La barre de format : pour la mise en page du texte

La règle : utile pour le réglage des tabulations

Les principes du traitement de texte

Pour la saisie et les corrections dans WordPad, vous appliquerez les principes suivants :

➤ WordPad effectue automatiquement les sauts de ligne, c'est-à-dire que le programme vérifie qu'un mot doit être mis à la ligne ou rester en fin de ligne.

➤ Les espacements verticaux entre les paragraphes ne peuvent être créés dans WordPad que par activations successives de la touche **Entrée**.

➤ Pour corriger les erreurs, le plus simple est d'utiliser la touche **Retour arr** pour corriger à gauche ou **Suppr** pour effacer le caractère de droite.

➤ Vous déplacerez le curseur par les flèches de direction ou par un clic de souris.

➤ WordPad travaille avec une orientation "sélection". Avant de pouvoir appliquer un attribut de mise en forme, il vous faudra sélectionner l'élément de texte à traiter. Pour cela, vous emploierez la touche **Maj** avec les flèches de direction ou sélectionnerez le texte avec la souris, en enfonçant le bouton gauche.

➤ L'enregistrement et l'ouverture de documents utilisent les mêmes commandes que d'ordinaire, dans le menu *Fichier*. Sont également proposés les deuxième et troisième boutons de la barre d'outils, en partant de la gauche. Les fenêtres ainsi ouvertes sont des extraits de l'Explorateur.

Les fonctions de la barre d'outils

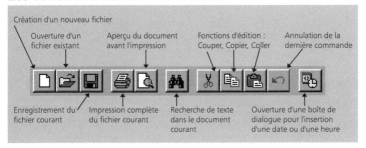

Création d'un nouveau fichier

Ouverture d'un fichier existant

Aperçu du document avant l'impression

Fonctions d'édition : Couper, Copier, Coller

Annulation de la dernière commande

Enregistrement du fichier courant

Impression complète du fichier courant

Recherche de texte dans le document courant

Ouverture d'une boîte de dialogue pour l'insertion d'une date ou d'une heure

Mise en forme du texte

Les formats de paragraphes sont disponibles dans le menu déroulant *Format*, les menus contextuels de la sélection ou les boutons de la barre d'outils.

Police

Ouvrez la liste des polices par un clic sur la flèche placée à droite et faites votre choix. Les polices présentées dans cette liste sont fonction de votre imprimante. Toutes les polices marquées du sigle TT sont des polices TrueType livrées avec Windows 95. Elles sont compatibles avec toutes les imprimantes.

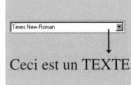

Times New Roman

Ceci est un TEXTE

Programmes d'accompagnement

C 8

R 42

Taille

Vous pouvez dérouler la liste des tailles de police dans la barre d'outils ou taper directement la taille requise dans la zone de saisie. Avec une police TrueType, toutes les tailles sont possibles. L'unité de mesure est le point typographique.

Style

Ces attributs vous serviront à mettre en valeur des passages de texte.

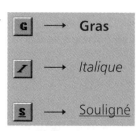

Alignement des paragraphes

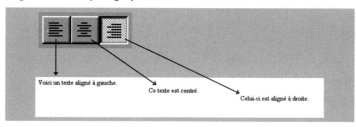

Un paragraphe peut être aligné à gauche, à droite ou centré. Par contre, la justification n'est pas disponible avec WordPad.

Liste à puces

Un clic sur le bouton *Puces* a deux effets : les paragraphes sélectionnés sont précédés d'une puce et dotés d'un retrait de première ligne.

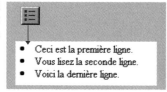

Travailler avec la règle

La règle permet de mettre en place facilement et rapidement des retraits à gauche, à droite ou des retraits de première ligne. Elle sert également au positionnement direct de taquets de tabulation avec la souris.

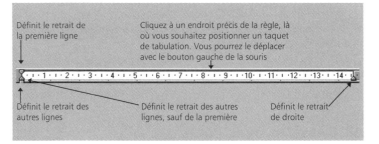

Définit le retrait de la première ligne

Cliquez à un endroit précis de la règle, là où vous souhaitez positionner un taquet de tabulation. Vous pourrez le déplacer avec le bouton gauche de la souris

Définit le retrait des autres lignes

Définit le retrait des autres lignes, sauf de la première

Définit le retrait de droite

Remarque

Le menu *Format* propose plusieurs boîtes de dialogue, grâce aux options *Police*, *Paragraphe* et *Tabulations*. Toutes les options de ces boîtes de dialogue correspondent à celles de la règle, mais permettent un positionnement plus précis, par saisie de valeurs numériques.

Déplacer et copier des blocs de texte

Pour modifier ultérieurement l'ordre des paragraphes du texte ou pour effectuer des copies, deux méthodes sont offertes :

➤ Glisser/Déplacer : tirez la sélection (le texte à déplacer) avec la souris, en maintenant le bouton gauche enfoncé. Enfoncez également la touche **Ctrl** si vous désirez faire une copie et non un déplacement.

➤ Presse-papiers : sélectionnez la partie de texte à traiter et cliquez sur le bouton *Couper* (pour un déplacement) ou *Copier* (pour une recopie) de la barre d'outils. Déplacez le curseur à l'endroit de l'insertion et cliquez sur le bouton *Coller*.

Programmes d'accompagnement

C 8

R 42

Autres particularités de WordPad

➤ *Affichage/Options* permet de configurer les divers formats de fichier supportés par WordPad.

➤ la commande *Fichier/Aperçu avant impression* affiche le document tel qu'il sera imprimé.

➤ La commande *Fichier/Mise en page* définit le format de la page, les marges et l'orientation du texte.

➤ Par *Insertion/Objet*, vous pouvez intégrer un objet OLE dans le document WordPad. La commande *Edition/Propriétés objet* fournit un certain nombre d'informations sur l'objet OLE et permet de le manipuler.

43 Dessiner avec Paint

Paint est le digne successeur de Paintbrush, un programme de dessin orienté *pixel*, destiné à dessiner des objets géométriques ou de forme libre, avec possibilité de rajouter du texte.

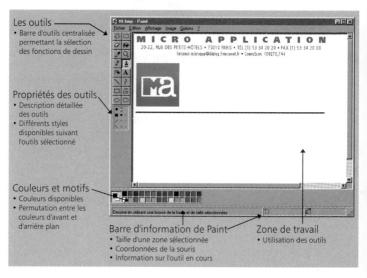

Principes de base de Paint

Création pas à pas d'un dessin

Avant le dessin effectif, trois fonctions sont à paramétrer ou à vérifier :

1 Sélectionnez l'outil requis dans la boîte à outils.

2 Définissez les attributs de l'outil, en l'occurrence la largeur du pinceau. Pour certains outils, il n'y a pas d'attributs (par exemple le pot de peinture).

3 Définissez la couleur à employer pour le dessin. Un clic avec le bouton gauche de la souris sur une des couleurs de la palette affecte la couleur pour le traçage avec ce bouton, un clic droit affectant la couleur pour le traçage avec le bouton droit.

4 Le dessin se fait toujours en enfonçant et en maintenant un bouton de la souris. Certaines différences sont à noter au niveau des outils individuels.

Carrés, cercles, droites

Cette astuce est générale pour toutes les fonctions de dessin de Paint. En enfonçant la touche **Maj**, la fonction sélectionnée sera forcée de créer soit un carré, soit un cercle, soit une droite orientée par pas de 45°. Les formes ainsi créées sont *régulières*.

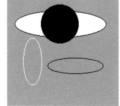

Programmes d'accompagnement

C 8

R 43

Propriétés des éléments dessinés

Dessin d'une forme libre avec le pinceau

1 Avec le pinceau, vous dessinerez une forme libre à main levée en enfonçant le bouton de la souris.

2 Si vous relâchez le bouton, vous pourrez placer le pointeur à un autre endroit de la zone de travail sans que le trait de couleur ne suive le déplacement. Un nouveau maintien du bouton reprend le dessin.

Dessiner une droite

1 Cliquez sur l'outil *Tracer une ligne*.

2 Définissez le point de départ de la ligne d'un clic de souris et maintenez le bouton enfoncé.

3 Le trait suit les déplacements du pointeur, en partant du point de départ. En relâchant le bouton, la ligne est terminée.

Remarque

➤ Si vous souhaitez tracer des droites reliées entre elles, tracez la première, puis commencez la seconde en fixant son point de départ sur le point terminal de la première. Les deux traits seront alors reliés.

➤ Pour supprimer la dernière ligne, faites un clic avec le bouton droit, tout en maintenant le bouton gauche enfoncé. Ceci termine une ligne en cours de création.

Dessiner un polygone

1 L'outil *Polygone* permet de tracer des polygones en enfonçant le bouton de la souris.

2 Ce polygone peut avoir autant de côtés que vous le souhaitez. Pour tracer la dernière ligne et ainsi fermer la figure, inutile de cliquer sur l'origine. Faites simplement un double clic à l'endroit du dernier sommet. Paint relie automatiquement ce point à l'origine.

Créer des rectangles

Avec le bouton gauche de la souris, vous pourrez tracer des rectangles remplis de la couleur de premier plan Le bouton droit trace des rectangles remplis de la couleur d'arrière-plan.

Cercles et ellipses

Le dessin des cercles et des ellipses se déroule de la même manière que celui des rectangles.

Le bouton tout en bas à droite sert à dessiner des rectangles avec des coins arrondis.

Fonctions de courbe

1 Tracez une ligne avec l'outil *Courbe*. Ceci fait, vous pourrez déformer librement la ligne à l'aide du pointeur de la souris, en maintenant le bouton gauche enfoncé.

2 Il est possible de sélectionner un second point sur cette courbe et de jouer sur sa courbure.

Remplir une surface avec une couleur

1 L'outil de remplissage permet de remplir une surface avec une couleur choisie.

Programmes d'accompagnement

C 8

R 43

2 Cette surface doit être une forme géométrique fermée, la fonction se réfère toujours aux traits de contour. Si la figure n'est pas totalement fermée, la couleur débordera et risquera de remplir d'autres zones.

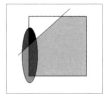

Utilisation de l'Aérographe

L'Aérographe disperse des points de peinture à l'emplacement du curseur. C'est l'outil idéal pour simuler des graffitis ou des tags.

Ecrire un texte

La fonction texte de Paint permet d'utiliser toutes les polices installées sous Windows 95.

1 Sélectionnez l'outil *Texte*. Le curseur se transforme en unecroix.

2 Tracez le cadre rectangulaire à l'endroit où vous souhaitez afficher du texte. Dans ce cadre, vous pourrez entrer le texte voulu.

3 Sélectionnez la police à employer ainsi que la taille des caractères. Vous disposez également d'un choix de styles (gras, italique, etc.). La couleur du texte est définie dans la palette des couleurs. Pour obtenir un arrière-plan de couleur pour le texte, sélectionnez la couleur voulue avec le bouton droit.

4 Si après une modification du texte, le cadre n'est plus adapté, vous pourrez le redimensionner ou le déplacer.

Remarque

➤ Le texte ne peut être saisi que dans le mode d'affichage normal. Si l'image est agrandie avec la loupe, l'outil texte sera désactivé, ou ne sera pas disponible.

➤ Le texte peut être inséré dans l'image de deux manières : soit en appliquant la couleur de fond actuelle sur l'image (située *sous* le texte), soit en collant le texte par transparence sur l'image. Dans ce dernier cas la couleur définie pour le fond n'est pas appliquée.

Agrandir l'affichage - La loupe

Pour une édition précise de certaines zones du dessin, pensez à activer la loupe pour augmenter le coefficient d'affichage. Après sélection de la loupe, vous verrez un cadre apparaître dans l'écran. Il correspond à la zone qui sera agrandie. Vous pourrez le positionner sur l'élément à éditer. En mode Sélection, vous pourrez définir le coefficient de zoom. Le menu *Affichage/Zoom* est une solution encore plus souple pour définir le facteur d'agrandissement avec précision.

Sélectionner des couleurs avec la pipette

Si vous souhaitez utiliser une couleur précise pour un nouvel objet et si cette couleur est déjà en place à un autre endroit du dessin, activez la pipette et récupérez cette couleur. Il suffit de la placer sur la couleur requise et de faire un clic avec de bouton gauche pour affecter cette couleur au premier plan. Le bouton droit permet de la récupérer pour fixer la couleur d'arrière-plan.

Supprimer des zones de dessin - La gomme

Pour améliorer le rendu de certaines zones du dessin, il est souvent nécessaire de les supprimer ou de les couvrir d'une autre couleur. La gomme est l'outil qu'il vous faut.

La sélection d'une couleur s'effectue ici d'une manière différente des autres outils : le bouton gauche de la souris applique la couleur d'arrière-plan; celui de droite remplace la couleur de premier plan par celle de l'arrière-plan. Pour supprimer une zone rouge, procédez ainsi :

Programmes d'accompagnement

C 8

R 43

1 Activez la couleur rouge de la palette avec le bouton droit de la souris.

2 Pour supprimer la zone de rouge, maintenez le bouton gauche enfoncé et balayez la zone.

> **Remarque**
>
> Une particularité de cette gomme : elle permet de ne supprimer que certaines couleurs précises du dessin, voire de couvrir cette couleur d'une autre. C'est un moyen pratique pour faire des échanges de couleurs.

Couper et copier des zones de l'image

Si vous avez à déplacer ou à dupliquer certaines zones de l'image, inutile de les créer en double. Grâce aux outils de sélection de Paint, vous sélectionnerez la zone concernée et pourrez la recopier ailleurs. Ces fonctions de sélection sont très variées. Parallèlement au rectangle de sélection, vous disposez également d'un outil de sélection de forme libre. En mode Sélection, entourez simplement la zone avec le lasso. Vous pourrez ensuite la copier ou la déplacer.

1 Pour une définition souple de la zone, optez pour l'outil de sélection à main levée. Pour une zone rectangulaire ou carrée, choisissez le rectangle de sélection.

2 Tracez la forme de la sélection.

3 En mode sélection, vous pourrez choisir entre utiliser la zone en mode transparent ou en mode couvrant. En mode couvrant, la sélection sera entièrement retirée de son emplacement d'origine en cas de déplacement, alors que l'option Transparent permet d'utiliser la zone sans la couleur d'arrière-plan. Pour cela, il est important de sélectionner la même couleur que l'arrière plan.

4 Déplacez la zone. La portion libérée sera remplie de la couleur d'arrière plan sélectionnée.

Remarque

Si vous ne souhaitez que copier une zone, sélectionnez-la et faites-en une copie dans le Presse-papiers, puis collez-la ailleurs.

Trucs et astuces pour la manipulation d'images

Pour plus de souplesse, Paint propose un certain nombre d'astuces en matière de manipulation d'images. Il est bon de les connaître et de les maîtriser.

➤ Avec l'option *Retourner/Faire pivo-ter*, accessible directement par le menu contextuel, vous pourrez affecter un effet de miroir horizontal ou vertical à une sélection. Vous pourrez aussi lui appliquer une rotation par pas de 90°.

➤ Les zones sélectionnées peuvent être adaptées à une certaine forme ou dimension par la commande *Etirer/Incliner*. Il est ainsi possible de faire rentrer une photo dans un cadre et de lui donner un effet de profondeur ou une perspective.

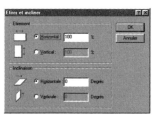

Un fichier comme papier peint

Lorsque l'image est terminée, elle peut être employée comme papier peint de Windows 95. Dans le menu *Fichier* sont disponibles les commandes *Papier peint par défaut (Mosaïque)* et *Papier peint par défaut (Centré)*. Si l'image est plus petite que la résolution, optez pour l'option *Mosaïque*. Avec *Centré*, elle sera centrée au milieu de l'écran.

Programmes d'accompagnement

C 8

R 43

Options d'enregistrement.

Par *Fichier/Enregistrer sous*, vous donnerez bien sûr un nom au fichier, mais pourrez aussi définir son format. Il s'agira toujours d'un fichier BMP, mais vous pourrez choisir sa résolution chromatique. Parallèlement à l'option *Bitmap monochrome*, vous disposez également des options 16, 256 et 16 millions de couleurs (TrueColor 24 bits). La règle est la suivante : plus la qualité est élevée et plus la taille du fichier sera grande. Si votre image n'est constituée que de quelques couleurs, l'option 256 couleurs devrait être suffisante.

44 Calculer avec la calculatrice

Comme ses prédécesseurs, Windows 95 est livré avec une calculatrice. Son utilisation est absolument identique à une véritable calculatrice de poche, elle dispose de deux interfaces, l'une standard, l'autre scientifique.

La version scientifique

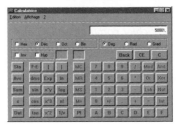

La commande *Affichage/Scientifique* affiche la calculatrice en mode étendu. Elle vous permettra d'effectuer des calculs statistiques, des opérations complexes telles que des logarithmes, des élévations à la puissance, des opérations trigonométriques sur les sinus, cosinus ou tangentes, etc.

L'aide intégrée

L'aide en ligne intégrée est particulièrement bien conçue pour découvrir les manipulations de cette calculatrice. Faites un clic droit sur une touche de fonction de la calculatrice : le menu contextuel propose alors la commande *Qu'est-ce que c'est ?*, qui affiche une explication sur la fonction.

Autres systèmes numériques

La calculatrice sait aussi effectuer des calculs avec d'autres systèmes numériques. En plus du système décimal, vous pourrez aussi travailler en hexadécimal, en octal ou en binaire. Si vous programmez sous Windows 95, vous saurez certainement apprécier cette fonctionnalité. Pour transposer une valeur décimale en hexadécimal, procédez ainsi :

1 Tapez le chiffre à convertir avec le bloc décimal du clavier. La touche frappée flashe automatiquement à l'écran.

2 Changer ensuite le système numérique, en passant de décimal à hexadécimal.

○ Hex	● Déci	○ Oct	○ Bin

3 Dans la fenêtre du résultat, vous pouvez désormais lire la valeur en hexadécimal.

	C351

45 Les jeux

Lors de l'installation de Windows 95, trois jeux sont copiés sur le disque dur : FreeCell, la Dame de pique et le Démineur. Vous les trouverez dans le sous groupe *Jeux* du groupe *Accessoires*.

Autre jeu intéressant, disponible séparément sur le CD d'installation de Windows 95: Hover!. Il est possible de le lancer directement par l'écran de bienvenue du CD.

Programmes d'accompagnement

C 8

R 45

FreeCell

Il s'agit d'une variante du célèbre jeu
Le Solitaire de Windows 3.x.

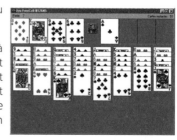

La règle de base : des cartes sont à
déposer sur les cases vierges en haut
de l'écran, classées par couleur et
par ordre croissant, en commençant
par l'as. Quatre cases de stockage
temporaire sont à votre disposition
pour effectuer des manoeuvres.

Vous pouvez aussi utiliser les piles du bas. Mais dans ces piles, les
couleurs (rouge ou noir) doivent être panachées et les cartes classées en
ordre décroissant (un roi noir ne peut être posé que sur une dame rouge).

But du jeu

Il s'agit de déplacer et d'empiler intelligemment les cartes jusqu'à arriver
à remonter l'ensemble des cartes sur les piles du haut.

Déroulement de la partie

Cliquez sur la carte à déplacer, puis sur la case cible. Si la manoeuvre est
incorrecte, un message vous signale que vous ne pouvez pas déplacer la carte.

> **Remarque**

➤ Une case vide ne peut contenir qu'une seule carte. Cette carte peut
ensuite être déplacée, soit sur les paquets du bas, soit sur les piles
du haut (les cases cible). Une fois en place sur les cases cibles, les
cartes ne peuvent plus être déplacées.

➤ Stratégie : essayez de déposer les rois comme première carte des piles
du bas et de superposer les autres dessus.

La Dame de pique

Ce jeu de cartes peut se jouer contre l'ordinateur ou contre d'autres joueurs en réseau. Il peut y avoir quatre joueurs au maximum.

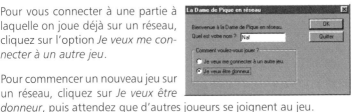

Pour vous connecter à une partie à laquelle on joue déjà sur un réseau, cliquez sur l'option *Je veux me connecter à un autre jeu*.

Pour commencer un nouveau jeu sur un réseau, cliquez sur *Je veux être donneur*, puis attendez que d'autres joueurs se joignent au jeu.

Pour jouer seul contre l'ordinateur, cliquez sur *Je veux être donneur*, puis appuyez sur **F2**.

But du jeu

Le but est d'avoir le moins de points possibles en fin de partie. Les coeurs représentent le plus grand nombre de points.

Déroulement de la partie

Le jeu se joue en quatre tours.

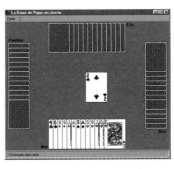

Au premier tour, sélectionnez trois cartes à passer à un adversaire. Pour sélectionner une carte, cliquez dessus. Pour annuler la sélection de la carte, cliquez à nouveau dessus.

Efforcez-vous de vous débarrasser des cartes hautes, en particulier les coeurs.

Le joueur qui a le 2 de trèfle ouvre le jeu en jouant cette carte. Chaque joueur, tour à tour et dans le sens des aiguilles d'une montre, clique sur une carte à jouer. Vous devez jouer une carte de la même couleur. Si vous n'en avez pas, vous pouvez jouer n'importe quelle carte, sauf un coeur ou la dame de pique au premier pli.

La personne qui joue la carte la plus forte de la même couleur que la première carte fait le pli. Ce joueur commence le tour suivant en cliquant en premier sur une carte à jouer. Vous ne pouvez ouvrir en coeur que si un coeur a déjà été joué.

A la fin de chaque partie (quand chaque joueur a joué ses 13 cartes), vous recevez un point pour chaque coeur que vous possédez et 13 points pour la dame de pique. Le jeu continue jusqu'à ce qu'un joueur atteigne ou dépasse 100 points, ou jusqu'à ce que le donneur quitte le jeu.

Remarque

Si vous ramassez tous les coeurs et la dame de pique, vous ne recevez aucun point et vos adversaires sont pénalisés de 26 points.

Le Démineur

Le principe du jeu consiste à cliquer avec la souris dans un champ de mines en ayant suffisamment de chance et de réflexion pour ne pas être touché. Le jeu est gagné si vous arrivez à ouvrir toutes les cases sans toucher aux cases minées.

Si la case sur laquelle vous venez de cliquer est vide, les cases voisines ne contiennent pas de mines. Si la case affiche un chiffre, ce chiffre correspond au nombre de cases voisines minées. A vous de découvrir les cases non minées, grâce à ces informations.

Hover!

Le jeu en 3D Hover! peut être démarré directement par l'écran de bienvenue du CD d'installation de Windows 95. Il se trouve dans le dossier FUNSTUFF\HOVER. Double-cliquez sur le fichier HOVER.EXE. Si le jeu est trop lent, copiez-le sur votre disque dur.

Déroulement de la partie

Vous pilotez un véhicule appelé
Hover 950 à travers un labyrinthe. Ce véhicule peut être dirigé
grâce à une manette de jeu ou
par les flèches de direction.

Vous jouez contre un adversaire.
Pendant que celui-ci essaie de
récolter le maximum de fanions
rouges, vous essayez d'être plus
rapide que lui avec les drapeaux
bleus. Si vous sortez vainqueur
de la partie, vous passez au niveau suivant du labyrinthe.

Vous pouvez personnaliser le jeu
en cours à l'aide des options *Contrô-*
les par le joueur et *Personnalisa-*
tion du jeu disponibles dans le
menu *Options*.

Vous pouvez éventuellement augmenter la vitesse (mais au détriment
de la qualité d'affichage) ou redéfinir
les touches de pilotage.

46 Les Outils système

Avec Windows 95 est livrée une série d'outils système permettant
d'assurer la maintenance du disque dur. Defrag défragmente le
disque, Scandisk vérifie et répare les erreurs, Backup crée des copies
de sauvegarde de l'ensemble du système ou d'un dossier et, pour
finir, DriveSpace compresse le disque et permet de récupérer de
l'espace supplémentaire. Vous trouverez Scandisk, Backup et Defrag
dans la même boîte de dialogue.

C 8

R 46

1 Ouvrez le Poste de travail d'un double clic.

2 Cliquez avec le bouton droit sur le lecteur à traiter.

3 Appelez la commande *Propriétés*.

4 Dans la boîte de dialogue, activez l'onglet *Outils*.

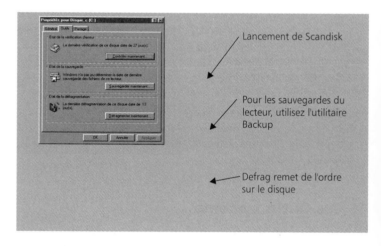

Lancement de Scandisk

Pour les sauvegardes du lecteur, utilisez l'utilitaire Backup

Defrag remet de l'ordre sur le disque

Scandisk

Si vous avez un jour fait la mauvaise expérience d'éteindre votre ordinateur sans avoir quitté Windows 95 dans les règles de l'art, vous avez certainement constaté un certain désordre dans le système de fichiers. Des données sont éparpillées au travers de l'ensemble du disque dur, sans qu'elles ne soient affectées à un fichier précis, occupant un espace non négligeable du disque.

Pour vérifier le disque (ou la disquette), procédez ainsi :

1 Cliquez sur le bouton *Contrôler maintenant*.

2 L'option *Minutieuse* effectue une vérification de la surface physique du disque. Les défauts de surface sont relativement rares, bien que l'âge du disque ou un choc de l'ordinateur puisse avoir des effets sur la surface d'un disque. C'est pourquoi cette opération n'est pas nécessaire plus d'une fois par mois.

Si vous activez l'option *Réparer automatiquement les erreurs*, Windows 95 se charge de remettre les choses en ordre. Cela signifie que vous n'aurez rien d'autre à faire. Dans le cas contraire, vous aurez à prendre une décision pour chaque erreur détectée. L'alternative sera le plus souvent de supprimer les données ou de les copier dans un fichier de secours.

3 Cliquez sur *Démarrer*.

Remarque

Une des erreurs les plus courantes est l'apparition de chaînes perdues. L'ordinateur est dans l'incapacité de définir le fichier d'où proviennent ces données. Par le bouton *Avancé*, vous pourrez choisir par défaut une des deux alternatives proposées. L'expérience prouve que l'on ne peut que rarement utiliser les chaînes récupérées dans un fichier, le plus simple est donc de les éliminer et de récupérer l'espace disque.

Defrag

Du fait des innombrables suppressions et enregistrements de fichiers, les fichiers sont fractionnés en de nombreux morceaux dispersés sur le disque dur. Le programme Defrag se charge de remettre en ordre le

Programmes d'accompagnement

C 8

R 46

disque en rassemblant les fragments pour reconstituer des chaînes d'un seul tenant. Cette opération évite de trop nombreuses opérations de lecture/écriture et de déplacement de tête, améliorant ainsi les performances de la machine. Pour défragmenter votre disque :

1 Cliquez sur *Défragmenter maintenant*.

2 La boîte de dialogue suivante indique si la défragmentation est nécessaire.

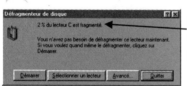

Un disque fragmenté à 2 % devrait être traité même si le programme ne le juge pas nécessaire.

3 Avec le bouton *Avancé*, définissez le niveau de traitement et optez au besoin pour une recherche d'erreur.

4 Cliquez sur *Démarrer* pour lancer l'opération.

5 Un clic sur *Pause* interrompt la défragmentation, un clic sur *Montrer détails* affiche une représentation de la surface du disque dur.

Remarque

Avant d'optimiser votre disque dur, quittez toutes les autres applications (y compris les connexions réseau). En effet, si la défragmentation est interrompue en cours de traitement par des accès d'autres programmes, vous n'aurez plus qu'à recommencer toute l'opération depuis le début. Après 10 interruptions de ce type, le programme vous demandera impérativement de lui assurer la tranquillité.

Backup

Pour qui travaille sérieusement avec son ordinateur, la sauvegarde à intervalle régulier des données est une opération incontournable. Windows 95 est livré avec un programme de sauvegarde, Backup, doté de nombreuses options.

Pour lancer Backup, cliquez sur *Sauvegarder maintenant* :

1 Une première boîte vous salue et vous informe du déroulement de l'opération. Activez l'option *Ne plus afficher cette boîte de dialogue* si vous ne désirez pas relire cette boîte de dialogue à chaque sauvegarde.

2 Backup prépare ensuite un jeu de sauvegarde complet, contenant toutes les informations nécessaires. Vous découvrirez dans un moment comme vous en servir. Désactivez à l'avenir cet affichage en cochant l'option placée tout en bas de la boîte de dialogue.

3 Vous voici arrivé dans l'écran principal de Backup.

Créez une sauvegarde du système

Cette sauvegarde contiendra toutes les informations stockées sur votre disque dur, mais aussi les données nécessaires à Windows 95 pour éventuellement restaurer ce système ultérieurement. Il va sans dire que cette sauvegarde est très volumineuse et qu'elle n'est à effectuer qu'avec un lecteur de bande ou un autre disque dur.

Programmes d'accompagnement

C 8

R 46

Voici la marche à suivre :

1 Appelez la commande *Fichier/Ouvrir un jeu de fichiers*.

2 Cliquez sur *Ouvrir* en reprenant la mention proposée par défaut.

3 Backup crée une copie des informations de la base de registres (c'est un peu long), puis sélectionne l'ensemble des fichiers de votre système en vue de la sauvegarde (là encore, cela dure longtemps).

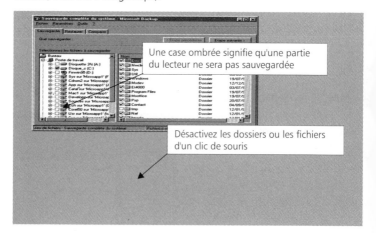

Une case ombrée signifie qu'une partie du lecteur ne sera pas sauvegardée

Désactivez les dossiers ou les fichiers d'un clic de souris

4 A vous de choisir si vous souhaitez sauvegarder tout le lecteur, certains dossiers ou des fichiers précis. Enlevez la coche devant les dossiers ou les lecteurs que vous ne voulez pas sauvegarder.

5 Cliquez sur le bouton *Etape suivante*.

6 Sélectionnez le lecteur cible.

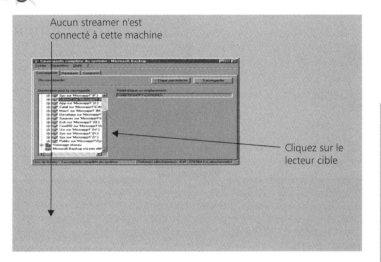

Aucun streamer n'est
connecté à cette machine

Cliquez sur le
lecteur cible

7 Cliquez sur le bouton *Sauvegarder*.

Sauvegarder des dossiers individuels

Après le démarrage de la sauvegarde, vous vous retrouverez automatiquement dans l'onglet *Sauvegarder* où vous pourrez définir les éléments
à sauvegarder. Voici comment procéder :

1 Pour traiter partiellement
un lecteur, cliquez sur le signe + placé à sa gauche pour
afficher son contenu.

C 8

R 46

2 Sélectionnez les dossiers et fichiers à sauvegarder en plaçant une coche devant leur nom.

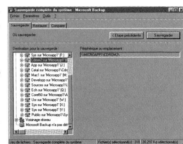

3 Cliquez sur le bouton *Etape suivante*.

4 Sélectionnez le lecteur cible.

5 Cliquez sur *Sauvegarder*.

Remarque

Sous *Paramètres/Options* et l'onglet *Sauvegarder*, vous pourrez définir un certain nombre de paramètres de sauvegarde. L'option la plus intéressante est sans nul doute le type de sauvegarde *Incrémentale*, qui ne sauvegarde que les fichiers ayant subi des modifications depuis la dernière sauvegarde. Elle permet d'économiser un temps énorme.

Restaurer les données

Pour restaurer une sauvegarde sur le disque dur :

1 Après le démarrage de l'application, passez sur l'onglet *Restaurer*.

2 Sélectionnez le lecteur et le jeu de sauvegarde contenant vos fichiers.

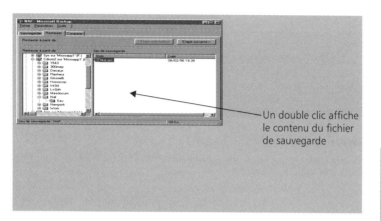

Un double clic affiche
le contenu du fichier
de sauvegarde

3 Cochez les dossiers et fichiers à restaurer.

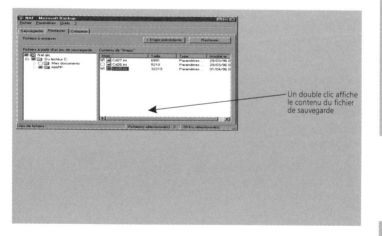

Un double clic affiche
le contenu du fichier
de sauvegarde

Programmes d'accompagnement

C 8

R 46

> **Remarque**
>
> Les paramètres de restauration se trouve aussi dans *Paramètres/Options*, mais cette fois dans l'onglet *Restaurer*. Vous pourrez par exemple demander au système de contrôler les données après restauration. Si vous avez décidé d'écraser tous les fichiers du disque dur, activez l'option *Ecraser les fichiers*. Elle évitera que Backup ne vous demande sans cesse si les anciens fichiers doivent être remplacés.

Drivespace

Que se passe-t-il si votre disque est plein ? Les utilisateurs de Windows le savent bien, les fichiers d'échanges de la mémoire virtuelle sont de plus en plus petits, Windows est obligé de procéder à des échanges de plus en plus fréquents et les temps d'attente s'allongent.

Certains programmes refusent de démarrer et la file d'attente d'impression n'a plus de place. La première mesure à prendre dans ce genre de circonstances est bien évidemment de supprimer les programmes ou fichiers inutiles.

Vous pouvez également sauvegarder sur disquettes ou bandes vos fichiers les plus anciens. Si aucune amélioration sensible ne se fait sentir, vous commencerez à envisager sérieusement l'acquisition d'un disque complémentaire (ils sont devenus bon marché).

Réflexions

DriveSpace est un programme de compression "au vol", permettant de disposer de plus d'espace disque.

Les données sont matérialisées par un grand fichier sur le disque dur, DriveSpace se chargeant de l'interface d'accès à ce fichier. En principe, vous ne remarquerez même pas DriveSpace.

Cette place supplémentaire a cependant pour prix un double inconvénient

➤   La compression/décompression permanente des données demande des traitements supplémentaires qui réduisent les temps d'accès au disque dur. Avec des machines rapides (à partir des 486), cette perte est à peine sensible.

➤ Le pilote nécessaire à DriveSpace occupe, en cas de travail sous DOS ou en mode DOS, environ 166 Ko de mémoire haute et conventionnelle. Dans certaines circonstances, cette ponction est gênante : les programmes nécessitant plus de 550 Ko de mémoire conventionnelle ne peuvent pas démarrer, même en optimisant la configuration, sauf à accepter de se passer d'autres pilotes (par exemple celui du CD-ROM ou SmartDrive).

Avant de vous lancer dans la compression d'un gros disque dur, faites en sorte que personne ne touche à votre machine dans les prochaines heures.

Car c'est à cette durée qu'il faut vous attendre (tout dépend bien sûr de la taille du disque, de la vitesse du lecteur et de la "compressibilité" des données).

Remarque

Toutes les données n'ont pas la même "compressibilité". Les textes et les fichiers BMP contiennent beaucoup d'informations superflues et peuvent être réduits à environ 5 % de leur taille d'origine. Les fichiers déjà compressés par PKZIP ou ARJ ne montreront aucun gain par une nouvelle compression DriveSpace. Il en va de même de tous les fichiers enregistrés dans un format déjà compressé. Certains utilisateurs, fort de cette constatation, scinde leur disque en deux partitions, l'une pour les fichiers pouvant être bien compressés et l'autre pour ceux qui ne présentent pas d'intérêt dans ce domaine..

Compresser un lecteur

Si vous avez bien ausculté le système et si vous avez du temps disponible, commencez la compression :

1 Lancez le programme par le menu *Démarrer* et la commande *Programmes/Accessoires/Outils système/DriveSpace*. Une liste des lecteurs vous est présentée.

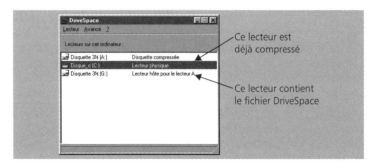

Ce lecteur est
déjà compressé

Ce lecteur contient
le fichier DriveSpace

2 Sélectionnez le lecteur à compresser.

3 Appelez la commande *Lecteur/Compresser*.

4 DriveSpace affiche deux diagrammes à secteurs du lecteur
sélectionné.

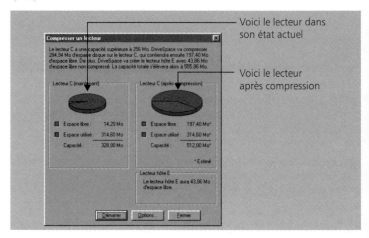

Voici le lecteur dans
son état actuel

Voici le lecteur
après compression

5 Avec *Options*, diverses options sont à votre disposition :

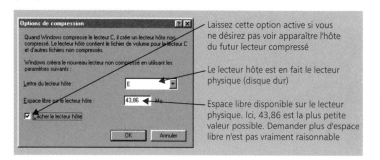

Laissez cette option active si vous ne désirez pas voir apparaître l'hôte du futur lecteur compressé

Le lecteur hôte est en fait le lecteur physique (disque dur)

Espace libre disponible sur le lecteur physique. Ici, 43,86 est la plus petite valeur possible. Demander plus d'espace libre n'est pas vraiment raisonnable

6 Lorsque tout est en place, cliquez sur *Démarrer*. Le programme vous propose d'abord de créer une copie de sauvegarde de vos données. A vous d'accepter ou de refuser cette proposition.

7 DriveSpace parcourt le disque à la recherche d'éventuelles erreurs et commence la compression des données. Cette opération peut durer plusieurs heures.

8 A la fin de la compression, DriveSpace optimise le nouveau lecteur à l'aide de Defrag.

9 Pour finir, le programme demande de redémarrer l'ordinateur pour mettre à jour tous les fichiers de configuration. Cliquez sur *OK* et relancez la machine.

Décompresser un lecteur

Si vous faites entre temps l'achat d'un nouveau disque dur ou si vous avez réussi à aménager à nouveau suffisamment d'espace sur le disque, vous pourrez décompresser le lecteur et le ramener à son état initial.

Programmes d'accompagnement

C 8

R 46

Mais pensez qu'à cette occasion vos données vont à nouveau exploser. N'ayez crainte, DriveSpace vous lancera un avertissement si vous n'avez pas suffisamment de place pour réaliser l'opération.

1 Lancez DriveSpace et sélectionnez le lecteur à traiter.

2 Activez la commande *Lecteur/Décompresser*.

3 DriveSpace indique si votre espace est suffisant.

4 Cliquez sur *Démarrer*.

5 Lorsque le disque est entière-ment décompressé, il sera en-core optimisé par DriveSpace.

Multimédia

Le "multimédia" est la réunion de divers médias (vidéo, son, image, texte, etc.) dans le cadre d'un même projet. En général, ce terme désigne surtout des médias relativement neufs dans le monde PC : le son et la vidéo. Sous Windows 95, il est désormais possible de diffuser des vidéos AVI sans aucun programme complémentaire.

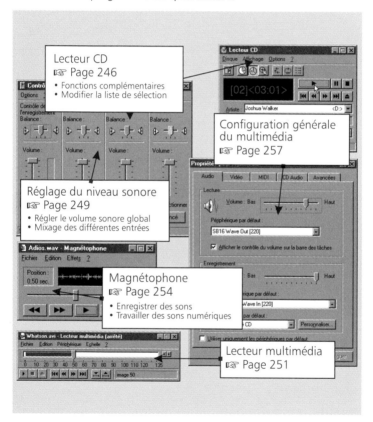

Lecteur CD
☞ Page 246
• Fonctions complémentaires
• Modifier la liste de sélection

Configuration générale du multimédia
☞ Page 257

Réglage du niveau sonore
☞ Page 249
• Régler le volume sonore global
• Mixage des différentes entrées

Magnétophone
☞ Page 254
• Enregistrer des sons
• Travailler des sons numériques

Lecteur multimédia
☞ Page 251

Multimédia

C 9

R 47

Votre machine deviendra donc "compatible Multimédia" par l'adjonction d'une carte son et d'un lecteur de CD-ROM. La carte graphique doit également être d'un modèle rapide.

Dans le package Windows 95, vous trouverez des pilotes pour les principales cartes du marché. Les fonctions Multimédia de Windows 95 sont gérées par les programmes d'application que vous trouverez dans le dossier *Multimédia* au sein du menu *Démarrer*.

1 Cliquez sur le bouton *Démarrer* de la Barre des tâches et sélectionnez la mention *Programmes*.

2 Activez le groupe *Accessoires* et choisissez *Multimédia*.

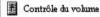 Contrôle du volume
 Lecteur CD
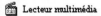 Lecteur multimédia
 Magnétophone

3 Faites votre choix d'un clic de souris.

Remarque

➤ Les fichiers vidéo et audio sont directement exécutables par un double clic. Ils sont en effet associés aux programmes concernés. Inutile donc de lancer d'abord le programme puis de chercher les fichiers.

➤ Si vous avez installé des matériels MPEG sur votre machine, vous pourrez visualiser des films CD sans aucun logiciel complémentaire.

➤ Dans Windows 95 est intégrée une petite bibliothèque de fonctions 32 bit (WinG) permettant de réaliser des opérations graphiques aussi vite que sous DOS.

47 Le Lecteur CD

Le Lecteur CD dispose d'une fonction AutoPlay. Autrement dit la lecture démarre directement après l'insertion du CD.

Cette fonction intervient également avec les CD de données tels que le CD d'installation de Windows 95. Toutes les informations nécessaires sont demandées et le programme est exécuté. Cela dit, le CD doit supporter la lecture automatique, sinon la fonction n'a pas d'effet.

En même temps que la lecture des CD audio, est également lancé en arrière-plan le programme de pilotage correspondant. Ce programme offre des fonctions comparables à celles d'un lecteur CD haut de gamme du commerce.

Un clic sur le Lecteur CD, dans la Barre des tâches, permet d'amener au premier plan ce programme.

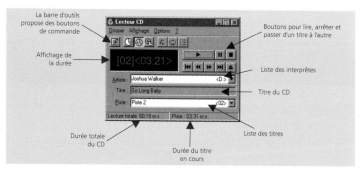

La barre d'outils propose des boutons de commande

Affichage de la durée

Durée totale du CD

Durée du titre en cours

Boutons pour lire, arrêter et passer d'un titre à l'autre

Liste des interprètes

Titre du CD

Liste des titres

Remarque

➤ Si vous avez un lecteur de CD-ROM mais pas de carte son, vous pourrez malgré tout écouter de la musique. Branchez pour cela un écouteur sur la prise casque du lecteur de CD-ROM.

➤ Même si vous disposez du lecteur de CD-ROM et d'une carte son, ce n'est pas pour autant que vous pourrez écouter de la musique. Il se peut qu'il vous manque le câble entre le lecteur et la carte.

➤ Si vous faites glisser le pointeur de la souris sur les touches du lecteur de CD à l'écran, des Info-bulles vous indiqueront à quoi correspondent ces boutons.

Multimédia

C 9

R 47

Fonctions complémentaires

Ces fonctions sont affectées aux boutons de la barre d'outils.

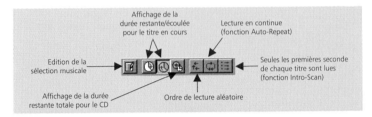

Affichage de la durée restante/écoulée pour le titre en cours

Lecture en continue (fonction Auto-Repeat)

Edition de la sélection musicale

Seules les premières seconde de chaque titre sont lues (fonction Intro-Scan)

Affichage de la durée restante totale pour le CD

Ordre de lecture aléatoire

Remarque

Pour affiner les réglages, activez la commande *Options/Préférences*. Par ailleurs vous pouvez demander une diffusion en continu en activant la commande *Option./Lecture continue*.

Modifier la sélection musicale

La liste de diffusion sert à gérer le CD. Elle permet de donner un nom aux titres et de sélectionner ceux que vous souhaitez entendre.

1 Assurez-vous d'abord que le CD se trouve bien dans le lecteur.

2 Cliquez sur *Disque/Modifier la sélection musicale* ou sur le bouton tout à gauche de la barre d'outils.

3 Entrez le nom de l'interprète et le titre du CD.

4 Dans la zone *Pistes disponibles*, cliquez sur le titre pour lequel vous souhaitez saisir un nom.

5 Saisissez le titre et validez par le bouton *Définir le nom*. Le nouveau titre est directement repris dans la liste.

6 Ne sont diffusés que les morceaux se trouvant dans la liste de diffusion. Si certains titres ne vous intéressent plus, sélectionnez-les et cliquez sur le bouton *Supprimer*.

7 Lorsque tout est saisi, cliquez sur *OK*. A partir de maintenant, à chaque fois que vous insérerez le CD dans le lecteur, l'interprète, les titres disponibles et le morceau en cours de lecture seront affichés.

Remarque

➤ L'ordre de diffusion est modifiable, en déplaçant simplement les titres avec la souris, bouton gauche enfoncé, dans la liste.

➤ Windows 95 supporte un nouveau format audio CD, lequel accepte en plus de la musique des clips vidéo, des photos, des animations et des textes.

48 Contrôle du volume

Pour le contrôle du volume, il existe un outil "primaire" destiné au réglage général du volume sonore. Mais il existe aussi une véritable table de mixage pour le réglage séparé de l'enregistrement et de la lecture depuis les divers appareils traitant du son.

Réglage général du volume

1 En bas à droite de la Barre des tâches se trouve une petite icône en forme de haut-parleur. Cliquez sur cette icône.

2 Utilisez le curseur pour régler le volume de tous les événements sonores (fichiers WAV et MIDI, CD audio, sons de films AVI, etc.).

Multimédia

C 9

R 48

La table de mixage pour des réglages sélectifs

La table de mixage est une extension du contrôle de volume général. Volume d'enregistrement ou de diffusion, balance des canaux, tous les programmes utilisant des sons sont affectés par ces réglages.

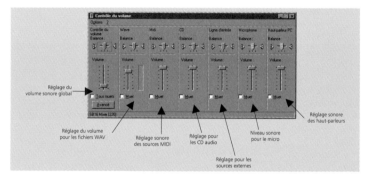

Le plus simple pour arriver à la table de mixage est de cliquer avec le bouton droit sur l'icône en forme de haut-parleur dans la Barre des tâches et de choisir dans le menu contextuel la commande *Contrôle du volume*. Elle est aussi accessible par le lecteur de CD (commande *Affichage/Contrôle du volume*).

49 Le Lecteur multimédia

Le lecteur multimédia est un outils de lecture et de pilotage des fichiers en provenance de divers médias (WAV, AVI, MIDI, CD audio, etc.)

Dans la pratique, le Lecteur multimédia est surtout utilisé pour lire des fichiers d'animation AVI.

1 Lancez le Lecteur multimédia par le menu *Démarrer* et la commande *Programmes/Accessoires/Multimédia/Lecteur multimédia*.

2 Définissez à l'aide du menu *Périphérique* le type de fichiers à diffuser.

3 Cherchez le fichier à lire à l'aide de la boîte de dialogue *Fichier/Ouvrir* et chargez-le. Ceci fait, vous pourrez choisir entre une diffusion complète ou partielle du fichier à l'aide de la commande *Edition/Sélection*.

Périphérique
1 Vidéo pour Windows...
2 Son...
3 Séquenceur MIDI ...
Propriétés
Contrôle du volume

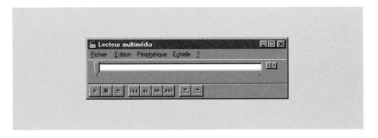

Multimédia

C 9

R 49

Remarque

➤ Si par contre vous lancez directement un fichier multimédia par un double clic, les seules possibilités qui vous sont alors offertes sont la pause et l'arrêt. La fenêtre du Lecteur multimédia n'est en effet pas affichée.

➤ Si les seuls boutons dont vous ayez besoin sont Lire, Arrêter et Pause, vous pourrez afficher une version "light" du Lecteur multimédia par un double clic sur sa barre de titre. Un nouveau double clic affiche la version complète du programme.

Variantes du Lecteur multimédia

Modifier la taille de la fenêtre vidéo

➤ Après chargement d'une vidéo, la taille de la fenêtre peut être modifiée en tirant ses bordures avec la souris. Si le nombre de points à afficher, en regard des couleurs, devient trop grand pour votre processeur et votre carte graphique, le Lecteur multimédia se verra dans l'obligation de sauter certaines images ("drops"). L'animation commence alors à devenir moins fluide.

➤ Dans le cas d'un fichier vidéo, la commande de menu *Périphérique/Propriétés* affiche une boîte de dialogue dans laquelle vous pourrez entreprendre le redimensionnement proportionnel de la fenêtre jusqu'au plein écran.

Boucle sans fin et comportement des objets OLE

En cas de besoin, définissez d'autres propriétés pour le média actif. La boîte de dialogue requise est ouverte par la commande *Edition/Options*.

➤ L'option *Répéter automatiquement* met en place une boucle sans fin, soit une diffusion ininterrompue du fichier.

➤ Si vous incorporez le fichier multimédia comme objet OLE dans un document, l'option *Barre de contrôle durant la lecture* permettra de piloter la diffusion depuis l'application cible.

➤ L'option *Lecture dans un document client* a également trait aux applications OLE. Si elle est active, le Lecteur multimédia n'est pas affiché, donnant l'impression que l'application cible se charge elle-même de cette diffusion.

Définir des séquences pour la diffusion

Les deux icônes tout à droite de la fenêtre du Lecteur multimédia permettent de définir des séquences, au cas où vous ne souhaiteriez lire qu'une partie du fichier.

1 Placez le curseur de position au point de départ.

2 Cliquez sur le bouton de repérage du début (l'avant dernier à droite). Une marque est alors placée à l'endroit indiqué précédemment, matérialisant ainsi le début de la séquence.

3 Déplacez le curseur de position à la position de fin et cliquez sur le bouton de repérage de fin de séquence. Une nouvelle marque est mise

en place. La séquence ainsi sélectionnée est pourvue d'un fond sombre et vous disposez désormais des boutons *Repère suivant* et *Repère précédent*, permettant de sauter rapidement d'un repère à un autre.

Multimédia

C 9

R 49

4 Pour une définition plus précise de la séquence, activez le menu *Edition/Sélection*. En fonction de l'échelle, vous pourrez définir la séquence par les champs *De*, *Vers* et *Taille*.

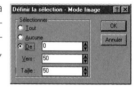

50 Le Magnétophone

Le Magnétophone est un programme permettant d'enregistrer des séquences sonores et de les éditer. Comme source, vous disposerez du micro, du lecteur CD et de la source "Line" (lecteur de cassettes raccordé à votre carte son par exemple). Le Magnétophone peut aussi servir à créer vos propres modèles sonores pour Windows 95. Le Panneau de configuration vous aidera ensuite à affecter ces sons aux divers événements système.

Enregistrer des sons

Pour procéder à un enregistrement sonore, assurez-vous d'abord que votre ordinateur et votre carte son soient bien reliés aux divers périphériques d'entrée (micro, lecteur de CD, etc.). Le résultat de l'enregistrement sera stocké sous forme d'un fichier WAV pour diffusion ultérieure. Dans l'exemple suivant, nous allons enregistrer une courte séquence musicale à partir d'un CD.

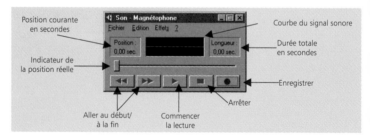

1 Le Magnétophone est chargé comme d'ordinaire par le menu *Démarrer* et la commande *Programmes/Accessoires/Multimédia/ Magnétophone*.

2 Pour définir la qualité d'enregistrement, cliquez sur la commande *Propriétés* du menu *Fichier*. Cliquez ensuite sur le bouton *Convertir maintenant*.

A l'aide des listes *Nom*, *Format* et *Attributs*, vous pourrez fixer la *Qualité d'enregistrement*. Le meilleur résultat sera obtenu en qualité CD (*Nom*), PCM (*Format*) et 44.100 Hz; 16 bit; Stéréo (*Attributs*). Rappelez-vous cependant que plus la qualité est élevée et plus le fichier son occupera d'espace. Quelques secondes d'enregistrement se résument déjà à un fichier de plusieurs Mo. Dans la liste des attributs, l'espace occupé par une seconde d'enregistrement est affiché.

3 Appelez le Contrôle de volume. Ouvrez la boîte de dialogue *Option/Propriétés* et activez le bouton *Enregistrement*. L'affichage de la boîte de dialogue se modifie. Veillez bien à ce que la mention *Sélectionner* de l'option *CD* soit alors bien activée. Définissez ensuite le volume des canaux.

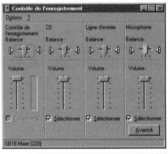

4 Pour lire le CD, vous pouvez passer soit par le Lecteur multimédia soit par le Lecteur CD. Avec ce dernier, vous aurez l'occasion de définir le début de l'enregistrement de manière plus précise. Lancez le Lecteur CD et cliquez sur *Pause* une fois le début de la séquence atteinte. Par les boutons *Avance rapide* et *Retour rapide*, vous vous déplacerez jusqu'à arriver une ou deux secondes avant le début effectif de la séquence à enregistrer. Ce laps de temps permettra de lancer l'enregistrement. Vous pouvez alors déclencher la lecture.

Multimédia

C 9

R 50

5 Pour lancer l'enregistrement, cliquez sur la touche *Lire* du Magnétophone. Un clic sur *Arrêter* arrête l'opération.

6 Dans le menu *Fichier* du Magnétophone, appelez ensuite la commande *Enregistrer sous*.

Modifier un fichier son

Le Magnétophone permet également l'édition et la modification de fichiers son, leur mixage, la suppression des éléments superflus, le rajout d'effets et la modification du volume.

> **Remarque**
>
> Notez qu'un fichier son ne doit pas être compressé si vous souhaitez le modifier. Si vous ne parvenez pas à distinguer le signal en forme de ligne verte du Magnétophone, c'est que le fichier est compressé et qu'il ne peut subir de changements.

Supprimer une partie du fichier

C'est très certainement un des changements le plus fréquemment effectué avec le Magnétophone.

1 Faites défiler le fichier jusqu'à l'endroit à partir duquel vous souhaitez supprimer.

2 Appelez la commande *Effacer après la position actuelle*, du menu *Edition*.

Insérer des sons

Il est également possible d'insérer un fichier son dans un autre. Le résultat sera par exemple de la forme : Premier fichier, partie 1 - Fichier inséré - Premier fichier, partie 2.

Vous pourrez même mixer deux fichiers. Dans cette variante les deux sont diffusés simultanément, ils se superposent.

1 Dans le fichier source, déplacez le curseur de position à l'endroit de l'insertion.

2 Appelez la commande *Insérer un fichier* ou *Mixer avec un fichier*, dans le menu *Edition*.

3 Sélectionnez alors le nom du fichier à insérer ou double cliquez sur l'icône correspondante.

Remarque

Et pourquoi ne pas lancer, dans un fichier existant, un enregistrement complémentaire ? Déplacez le curseur à l'endroit voulu et procédez à l'enregistrement comme indiqué précédemment.

Effets sonores

Les effets sont toujours appliqués à l'ensemble du fichier. Ouvrez le menu *Effets* et choisissez la fonction requise. Ces effets peuvent être combinés entre eux et appliqués à répétition.

51 Paramètres généraux de multimédia

Pour tous les composants multimédia, certains paramètres peuvent être définis sur un plan général.

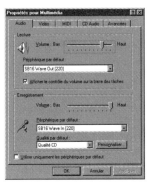

1 Ouvrez le Panneau de configuration et faites un double clic sur le module *Multimédia*.

2 Dans la boîte de dialogue des propriétés, entreprenez le paramétrage. Vous disposerez d'un onglet pour chaque composant.

Multimédia

C 9

R 51

Ces paramètres sont multiples : définition de la qualité d'enregistrement (et donc de l'espace disque utilisé), taille de la fenêtre vidéo, assistants d'installation d'instruments MIDI, paramètres avancés de fonctions multimédia et de leurs pilotes...

Le réseau intégré

Les réseaux font aujourd'hui partie de la vie quotidienne des entreprises, voire même des utilisateurs privés.

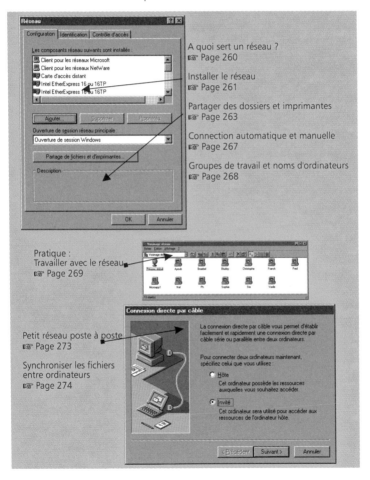

A quoi sert un réseau ?
☞ Page 260

Installer le réseau
☞ Page 261

Partager des dossiers et imprimantes
☞ Page 263

Connection automatique et manuelle
☞ Page 267

Groupes de travail et noms d'ordinateurs
☞ Page 268

Pratique :
Travailler avec le réseau
☞ Page 269

Petit réseau poste à poste
☞ Page 273

Synchroniser les fichiers
entre ordinateurs
☞ Page 274

52 Qu'est-ce qu'un réseau, à quoi sert-il ?

Au sein d'un réseau, les machines sont reliées entre elles par des câbles. Ceci leur permet d'échanger des données et de partager des ressources telles que des imprimantes ou des modems. De plus l'accès commun à un pool de données devient de plus en plus fréquent. Pour atteindre les données détenues par les autres PC du réseau, inutile de disposer d'un programme spécial. Vous travaillerez avec le Poste de travail ou l'Explorateur comme s'il s'agissait de vos propres données. Un réseau peut aussi présenter de l'intérêt pour l'utilisateur privé, surtout si vous disposez d'un vieux PC dont la vente d'occasion n'est guère plus intéressante. Voici quelques exemples d'utilisation d'un réseau dans le domaine privé :

➤ Un vieux PC peut être utilisé pour l'émission et la réception des fax et des messages ou fichiers transmis par modems. Lors des réceptions, la machine principale n'est ainsi pas dérangée et pour les émissions, le réseau permettra de transférer rapidement les fichiers d'une machine à une autre.

➤ Une machine du réseau peut faire office de serveur d'impression.

➤ Si le disque dur de l'ancienne machine est suffisamment grand (mais pas forcément très rapide), utilisez-le comme support de sauvegarde rapide.

➤ De plus en plus de jeux fonctionnent en réseau, permettant à plusieurs joueurs de se livrer à des parties acharnées à distance (par exemple la Dame de pique, livré avec Windows 95).

Conditions de base pour un réseau

Il vous faut :

➤ Deux machines au minimum

➤ Une carte réseau pour chaque machine. Les prix commencent aux alentours de 150 F. Il devrait s'agir d'une carte 16 bits, compatible NE2000 ou Windows 95.

➤ Des câbles de connexion entre les PC. Pour des réseaux de petite taille, des câbles Thin (coaxiaux fins) font l'affaire.

➤ La carte réseau de chaque PC est connecté à une prise en T, en bout de câble. Les première et dernière machines du réseau nécessitent une terminaison.

> **Remarque**
> ➤ Si votre objectif est simplement d'échanger de temps en temps des données, une simple connexion entre les deux machines peut s'avérer suffisante. Ces câbles seront reliés au port série ou parallèle des PC, sans carte réseau. Le coût peut ainsi être réduit au strict minimum.

53 Installer un réseau

Si vous paramétrez vous-même les cartes réseau, notez bien pour chacune les numéros de requête d'interruption ainsi que l'adresse de base d'entrée/sortie.

Ouvrez les machines à relier et mettez les cartes réseau en place. Connectez les câbles aux sorties des cartes réseau et n'oubliez pas les terminaisons sur la première et dernière machine.

Déclarer les cartes réseau sous Windows 95

L'opération est la même, que vous installiez les cartes réseau avant ou après migration vers Windows 95. Dans le cas de l'installation ultérieure des cartes, la première étape sera de faire un double clic sur le module *Ajout de périphérique*, dans le Panneau de configuration, pour démarrer l'assistant correspondant. A cette occasion, l'installation du matériel procède aussi à l'installation logicielle.

Reconnaissance automatique

Si vous souhaitez que Windows 95 se charge de reconnaître automatiquement le nouveau périphérique :

1 La reconnaissance automatique peut aboutir à un plantage du système. Prenez par conséquent la précaution d'enregistrer tous vos travaux importants avant de lancer l'assistant.

Le réseau intégré

C 10

R 53

2 Lorsque l'assistant est à l'écran, confirmez que vous souhaitez que Windows détecte les nouveaux matériels, puis sur le bouton *Suivant*.

3 Prenez ensuite patience, Windows 95 analyse la configuration.

4 A l'issue de l'analyse matérielle, Windows affiche normalement les nouveaux composants, en l'occurrence la carte réseau. Il propose des valeurs pour l'IRQ et l'adresse d'entrée/sortie. Ne les accepter pas aveuglément. Comparez ces valeurs avec celles que vous avez configurées sur votre carte réseau. S'il n'y a pas de correspondance, modifiez les propositions de Windows 95.

Installation manuelle

Si la reconnaissance automatique ne donne pas de résultat, optez pour l'installation manuelle :

1 Si l'Assistant d'ajout de périphérique est arrivé à cette boîte de dialogue, désactivez la reconnaissance automatique comme affiché, puis cliquez sur le bouton *Suivant*.

2 Dans la boîte de dialogue suivante, cliquez sur la mention *Cartes réseau* et sur *Suivant*.

3 Indiquez le nom du constructeur et le modèle de la carte.
Cliquez sur *OK* pour lancer la copie
du pilote.

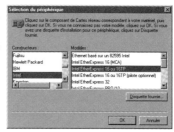

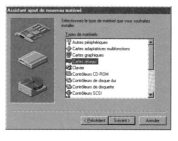

4 Vous pouvez alors comparer les
valeurs proposées par Windows
95 à celles que vous avez paramé-
trées sur la carte.

Lorsque tous les composants sont
installés, redémarrez Windows 95.
Si le système fonctionne correctement, une fenêtre de bienvenue
vous salue au redémarrage.

54 Partager des dossiers et des imprimantes

Chaque médaille a son revers : sur un PC, il faut partager les ressources
pour permettre aux autres utilisateurs de les utiliser. Cela peut être vrai
pour des dossiers ou des lecteurs, mais aussi pour des imprimantes et
des modems.

Partage général

1 La condition de base pour le partage de ressources est
de permettre à Windows 95 de partager ces ressources
avec d'autres utilisateurs. Cliquez avec le bouton droit de la
souris sur l'icône *Voisinage réseau* et appelez la commande
Propriétés du menu contextuel.

Voisinage réseau

2 Dans cette boîte de dialogue et son onglet *Configuration*, vous trouverez dans la partir inférieure un bouton libellé *Partage de fichiers et d'imprimantes*. Cliquez dessus.

3 Activez alors les options correspondant aux types de ressources à partager.

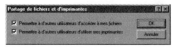

4 Fermez les deux boîtes de dialogue par *OK*. Puis Windows 95 vous informe de la nécessité de redémarrer la machine pour prendre en compte les nouveaux paramètres.

Définition précise des ressources à partager

Après activation du partage général, il vous faut maintenant spécifier les ressources individuelles que vous souhaitez partager.

Partager un dossier ou un lecteur

Localisez dans un premier temps le dossier ou le lecteur à partager.

1 Cliquez sur l'objet avec le bouton droit, puis cliquez sur la commande *Partager* du menu contextuel.

2 Activez l'onglet *Partage* et définissez un nom de partage de 12 caractères au maximum. C'est sous ce nom que l'objet partagé apparaîtra sur le réseau. Pour être plus explicite vous pouvez de plus ajouter un commentaire.

3 Définissez ensuite dans la rubrique *Droits d'accès* ce que les autres utilisateurs auront le droit d'en faire.

4 Au besoin, définissez un mot de passe pour cette ressource.

5 Cliquez sur *OK* pour valider vos paramètres.

L'icône de la ressource partagée est légèrement modifiée, elle apparaît à présent offerte sur une main tendue.

Remarque

➤ Tous les sous-dossiers de dossier partagé sont eux aussi automatiquement partagés.

➤ Ne partagez un lecteur complet que si vous travaillez dans le cadre d'un réseau privé, à domicile. Par sécurité, cette solution est formellement déconseillée en entreprise.

Partager et utiliser une imprimante

Première étape : Partager l'imprimante sur le PC auquel elle est directement connectée.

Le réseau intégré

C 10

R 54

1 Appelez la commande _Paramètres/ Imprimantes_ du menu _Démarrer_. Une fenêtre présente l'ensemble des imprimantes installées sur le système.

2 Faites un clic droit sur celle que vous souhaitez partager et appelez la commande _Partager_ du menu contextuel.

3 Donnez un nom réseau à ce périphérique et dotez-le au besoin d'un mot de passe.

4 Validez par _OK_. Son icône est également modifiée par l'adjonction de la main.

Deuxième étape : Etablir la connexion à cette imprimante réseau à partir d'une autre machine.

1 Faites un double clic sur l'icône _Voisinage réseau_ du Bureau et cherchez la machine rattachée à l'imprimante réseau.

2 Faites un double clic sur l'icône de l'imprimante. Windows 95 signale qu'il ne connaît pas encore cette imprimante et vous demande s'il doit l'installer chez vous. Insérez le CD de Windows 95 dans le lecteur de CD-ROM.

3 Définissez ensuite le port par lequel vous allez accéder en qualité d'invité à ce périphérique. Faites un clic droit sur l'icône de

l'imprimante et sélectionnez dans le menu contextuel la commande d'affectation d'un port. Choisissez le port requis dans la liste.

55 Connexion automatique ou manuelle

Toutes les connexions réseau à des dossiers, lecteurs ou imprimantes partagés sont automatiquement restaurées au prochain démarrage de Windows 95, si vous ne les désactivez pas expressément.

Cette connexion automatique demande peu de temps, sauf si un des périphériques n'est pas détecté (par exemple parce que cette machine est éteinte). Dans ce cas Windows 95 signale le problème et demande si la connexion est utile. Au cas où la machine distante est simplement éteinte, répondez par l'affirmative.

(Remarque)

Pour vérifier ultérieurement si l'autre machine a entre temps été mise sous tension, faites un double clic sur l'icône *Voisinage réseau*. Le dossier présente tous les éléments en activité.

Connexion en cas de besoin

Si vous le souhaitez, vous pouvez également vous limiter à établir les connexions lorsque vous en éprouvez le besoin.

1 Faites un clic droit sur l'icône *Voisinage réseau* et appelez la commande *Propriétés* dans le menu contextuel. La fenêtre réseau s'ouvre.

2 Cliquez dans la liste des composants réseau sur la mention *Client pour les réseaux Microsoft* si vous travaillez dans le cadre d'un réseau Microsoft ou *Client pour les réseaux Netware* s'il s'agit d'un réseau Novell. Cliquez sur le bouton *Propriétés*.

Le réseau intégré

C 10

R 55

3 Sélectionnez dans la boîte de dialogue des propriétés l'option *Connexion rapide* (pour différer la vérification) ou *Se connecter et rétablir les connexions réseau*, la valeur par défaut. Cliquez sur *OK*. Windows 95 signale que ces options prendront effet au prochain redémarrage.

56 Modifier les noms des groupes de travail et des ordinateurs.

Le passage à un autre groupe de travail n'est bien sûr une opération n'intervenant que dans le cadre de réseau d'une certaine taille.

1 Pour devenir membre d'un autre groupe de travail, cliquez simplement avec le bouton droit de la souris sur l'icône *Voisinage réseau* et appelez les *Propriétés* depuis le menu contextuel.

2 Activez l'onglet *Identification* et cliquez dans le champ *Groupe de travail*. Indiquez le nom du nouveau groupe. Un clic sur *OK* valide ce paramètre. Là encore, un redémarrage est nécessaire pour sa prise en compte.

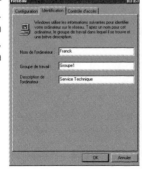

Changer de nom d'ordinateur

Dans l'onglet *Identification* de la boîte de dialogue *Réseau*, vous pourrez également modifier le nom réseau de votre machine. Deux choses sont à considérer :

➤ Le nouveau nom doit être unique dans le cadre du réseau.

➤ Les connexions à votre machine sont fondées sur le nom de votre ordinateur. Si vous changez de nom, les anciennes connexions ne pourront plus être établies.

57 La pratique - Travailler en réseau

Admettons que le réseau soit correctement installé et que tout fonctionne au mieux. Comment en profiter au maximum.

Accès aux autres machines

Pour l'accès aux ressources partagées, plusieurs possibilités sont offertes : le dossier Voisinage réseau ou le Poste de travail, l'Explorateur, ou encore les dossiers que vous avez placés à cet effet sur votre Bureau.

Le Voisinage réseau

1 La porte d'entrée "standard" au réseau est l'icône du *Voisinage réseau*, déposée sur votre Bureau. Faites par conséquent un double clic dessus.

2 Cette fenêtre montre toutes les machines disponibles depuis le réseau et faisant partie de votre groupe de travail. Vous y trouverez également une icône *Réseau global*.

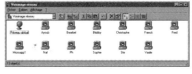

3 Un double clic sur une des machines affichées en ouvre l'accès. Vous découvrez alors toutes les ressources partagées depuis cette machine (disque dur, CD-ROM, imprimantes, etc.). Vous pouvez ainsi les utiliser comme s'il s'agissait de vos propres ressources.

Poste de travail et Explorateur

Les outils que vous utilisez pour piloter votre propre machine ou effectuer des opérations sur les fichiers constituent également une voie d'accès au réseau. Ce n'est cependant le cas que si le lecteur à distance est connecté comme lecteur réseau. L'avantage de l'Explorateur ou du Poste de travail est de vous permettre de travailler avec les ressources réseau de la même façon qu'avec les vôtres propres. Inconvénient : si le réseau regroupe beaucoup de machines, l'Explorateur ou le Poste de travail peuvent devenir difficiles à lire et à maîtriser.

Accès rapide aux autres machines

Pour les connexions les plus courantes, n'hésitez pas à créer des raccourcis directement sur votre Bureau.

➤ Déposez un raccourci vers le lecteur ou le dossier d'une autre machine sur le Bureau.

➤ Créez un dossier d'échange de données, que vous partagerez (par mesure de sécurité, ce sera le seul dossier partagé de votre machine). Par la suite déposez dans ce dossier les fichiers que vous souhaitez communiquer aux autres utilisateurs et servez-vous en pour la réception de données externes.

1 Ouvrez la fenêtre *Réseau* comme dans la première variante et cherchez le lecteur ou le dossier voulu.

2 Tirez l'objet concerné en maintenant le bouton droit enfoncé, jusque sur votre Bureau. Relâchez alors le bouton et dans le menu contextuel, cliquez sur *Créer un ou des raccourci (s) ici*. Ceci fait, vous aurez accès à la machine

distante ou au dossier partagé par un double clic sur ce raccourci.

Voici la technique la plus rapide pour réaliser la seconde variante :

1 Faites un double clic avec le bouton droit sur le Bureau et appelez la commande *Nouveau/Dossier*, dans le menu contextuel.

2 Définissez un nom pour ce nouveau dossier.

3 Cliquez avec le bouton droit sur le dossier et activez la commande *Partager*. Donnez lui finalement un nom de partage.

Affecter une initiale à un lecteur d'une autre machine

Il est possible d'affecter aux disques durs des autres machines des initiales de lecteur. Cela vous permettra d'accéder en plus de votre lecteur C:, aux lecteurs D:, E:, etc.

Cette opération est nécessaire si vous souhaitez travailler sur ces lecteurs externes à partir de l'Explorateur ou du Poste de travail.

Le réseau intégré

C 10

R 57

1 Faites un clic droit sur le lecteur partagé, dans la fenêtre *Réseau*.

2 Activez la commande *Connecter un lecteur réseau* dans le menu contextuel. Ce lecteur sera automatiquement doté d'une initiale.

Programme d'application en réseau

➤ La plupart des programmes de la machine distante peuvent être lancés directement depuis votre PC. Faites un double clic sur l'icône correspondante (par exemple dans l'Explorateur). Au besoin, créez un raccourci vers ce programme sur votre Bureau.

➤ Si la connexion au lecteur est établie, vous pourrez ensuite accéder aux fichiers des autres machines.

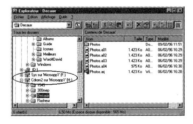

Orientation de l'organisation réseau

➤ Chaque PC connecté au réseau est identifié par un nom.

➤ Les machines connectées au réseau sont rassemblées en groupes de travail.

➤ Dans un réseau, il peut y avoir plusieurs groupes de travail. Si vous ouvrez le dossier *Voisinage réseau*, vous ne verrez initialement que les machines de votre propre groupe de travail.

Si vous êtes nouveau sur le réseau et désirez connaître le nom de votre machine et de votre groupe de travail, procédez ainsi :

1 Cliquez avec le bouton droit sur l'icône *Voisinage réseau* de votre Bureau et appelez-en les propriétés dans le menu contextuel.

2 Dans la boîte de dialogue, cliquez sur l'onglet *Identification*. C'est là que vous trouverez ces informations.

58 Le "petit" réseau - Connexion directe entre PC

Si le coût et l'aspect technique d'un véritable réseau vous font hésiter à vous lancer dans l'aventure, la connexion directe des machine sera peut-être la solution la mieux adaptée. Ce type d'échange de données est bien sûr plus lent, mais ne vous coûtera qu'une interface série ou parallèle et un câble. Sur le plan logiciel, vous aurez besoin du programme *Connexion directe par câble*. Vous le trouverez dans le groupe *Accessoires* du menu *Démarrer*. Voici comment établir une connexion directe entre deux machines.

1 Lancez le programme *Connexion directe par câble* et définissez-en les options. Validez à chaque fois au moyen du bouton *Suivant*. Commencez par préciser si votre poste constitue la machine mère ou fille de la connexion directe.

Le réseau intégré

C 10

R 58

2 Définissez ensuite le port de communication utilisé pour la connexion

3 La configuration de cette machine est terminée. Branchez le câble si ce n'est pas encore fait.
Passez ensuite à l'autre machine. Lancez-y également le programme de *Connexion directe par câble* et choisissez dans la première boîte de dialogue l'autre option (*Hôte* ou *Invité*), selon celle retenue pour la première machine.

Vous êtes à présent en réseau, la vitesse mise à part...

59 Comparer des données entre deux machines

Si vous travaillez en parallèle sur plusieurs machines, dans le cadre d'un même projet (par exemple sur un PC de bureau d'une part et sur un portable d'autre part), vous serez sans cesse confronté au problème suivant : quels sont, parmi les fichiers de même noms des deux machines, les versions les plus récentes ?

Pour certains fichiers, la réponse est relativement simple : vérifiez leur contenu ou leur date de dernière modification (commande *Propriétés* du menu contextuel).

Mais pour d'autres, c'est plus compliqué, surtout si le projet rassemble un grand nombre de fichiers et de documents. Certains ont peut-être été modifiés il y a deux jours sur le portable, alors que qu'autres l'ont été hier sur la machine de bureau. La seule solution pour vous en sortir est de faire appel au Porte-documents.

Le Porte-documents

1 Cliquez avec le bouton droit à un emplacement vierge du Bureau. Dans le menu contextuel, choisissez *Nouveau/Porte-documents*.

2 Un nouveau Porte-documents apparaît alors sur le Bureau. Donnez-lui un nom adéquat, par exemple celui de votre projet.

3 Placez dans un second temps tous les fichiers de votre projet dans ce Porte-documents. Vous constaterez que les fichiers ou dossiers insérés ne sont pas déplacés, mais véritablement copiés. Les fichiers originaux restent en place sur le disque dur, à leur emplacement initial.

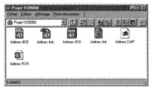

4 Etablissez la connexion entre les deux machines, par réseau, par connexion directe par câble, voire même par disquettes.

5 Le fait de tirer le Porte-documents sur l'autre machine provoque un déplacement, lequel fait disparaître le Porte-documents de la machine d'origine.

6 Un point important à ne pas négliger : pour pouvoir synchroniser par la suite les fichiers, il faut bien sûr que les horloges système des deux machines soient réglées sur la même heure et la même date.

Remarque

➤ Il est tout à fait possible de travailler avec plusieurs Porte-documents.

Le réseau intégré

C 10

R 59

Modifier les fichiers dans le Porte-documents

Sur la seconde machine, vous allez maintenant pouvoir modifier les fichiers contenus dans le Porte-documents. Un double clic suffit.

Important : les fichiers et les dossiers modifiés doivent rester en permanence dans le Porte-documents.

Sortir un fichier du Porte-documents

Pour retirer un fichier du Porte-documents, vous devez préalablement le sélectionner et appeler la commande *Séparer de l'original*, dans le menu *Porte-documents*. Le fichier en question reprend ainsi son indépendance et ne pourra plus être synchronisé. Inutile d'essayer de le réintégrer par la suite dans le Porte-documents, la séparation est définitive. Cette technique n'est à employer que si le Porte-documents contient des fichiers très volumineux et que parallèlement vous rencontrez des problèmes d'espace disque. Dans ce cas, le mieux est de supprimer les fichiers inutiles. La suppression directe au sein du Porte-documents comporte cependant un risque : si vous actualisez par la suite les fichiers, le Porte-documents détectera la suppression des fichiers manquants et vous proposera logiquement de supprimer aussi les fichiers originaux. Ne tombez pas dans ce piège !

Synchroniser les fichiers du Porte-documents

1 Etablissez une connexion jusqu'au Porte-documents à partir de l'une des machines communicantes. Ce même Porte-documents ne doit pas être ouvert sur la seconde machine.

2 Cliquez sur le Porte-documents avec le bouton droit et appelez la commande *Porte-documents/Tout mettre à jour*. Le Porte-documents compare alors son contenu avec celui du Porte-documents de l'autre machine, puis affiche un état des mises à jour à réaliser.

Cette actualisation est effectuée dans les deux sens.

3 Si vous ne souhaitez pas actualiser certains fichiers, cliquez dessus avec le bouton droit et effectuez l'opération adéquate.

Remarque

➤ Pour n'actualiser que certains fichiers de manière sélective, ouvrez le Porte-documents d'un double clic et sélectionnez les fichiers à synchroniser. Dans ce cas, vous lancerez la commande *Mettre à jour la sélection*.

➤ Après mise à jour, vous pouvez continuer à employer le Porte-documents de la seconde machine. Si vous n'en avez plus d'utilité, vous pouvez le supprimer le sans remords.

Le réseau intégré

C 10

R 59

Transmission de données à distance

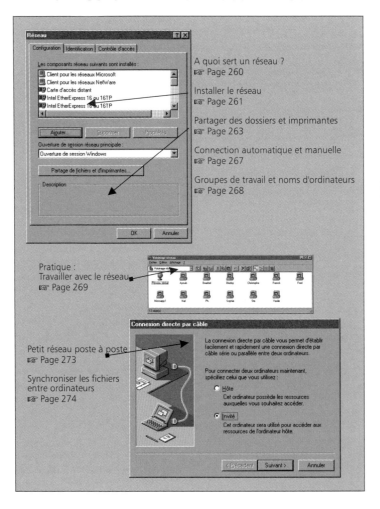

A quoi sert un réseau ?
☞ Page 260

Installer le réseau
☞ Page 261

Partager des dossiers et imprimantes
☞ Page 263

Connection automatique et manuelle
☞ Page 267

Groupes de travail et noms d'ordinateurs
☞ Page 268

Pratique :
Travailler avec le réseau
☞ Page 269

Petit réseau poste à poste
☞ Page 273

Synchroniser les fichiers
entre ordinateurs
☞ Page 274

Transmission de données

C 11

R 60

Pour pouvoir transmettre des données à distance, en passant par le réseau téléphonique, il vous faut tout d'abord disposer d'un modem.

Il vous faudra également un logiciel de communication adéquat. Windows 95 est livré en standard avec les programmes de communication suivants :

➤ HyperTerminal, un programme de communication avec les messageries électroniques et les ordinateurs équipés eux aussi de modem.

➤ Microsoft Network, un programme de connexion au nouveau service en ligne de Microsoft : MSN (Microsoft Network). MSN est prévu pour devenir un concurrent majeur de CompuServe. Il propose des informations nombreuses et variées, des boites postales pour l'échange  de messages ainsi qu'une communication en ligne entre utilisateurs. L'accès à Internet n'est pas encore intégré, ce sera le cas dans le courant 1996. Pour le moment, vous serez obligé de passer par le programme *Internet Explorer* proposé par le module complémentaire *MS-Plus* pour y accéder.

Comparativement à CompuServe, MSN est assez onéreux si vous dépassez le cadre des deux heures gratuites par mois.

➤ Avec le programme Microsoft Fax, vous pouvez recevoir et émettre des télécopies.

➤ Accès réseau à distance : ce programme permet la connexion à des machines distantes via le réseau téléphonique. Condition à respecter toutefois : le programme doit aussi être installé sur la machine distante, votre appel étant reçu par modem.

➤ Numéroteur téléphonique : ce programme sert à mémoriser et à composer automatiquement des numéros de téléphone. Une fois ceci fait, le modem vous passe le contrôle pour une communication téléphonique tout à fait ordinaire.

Bureau de poste et Exchange

Ces deux programmes sont utilisés dans le cadre de l'organisation centrale de messageries électroniques de tous ordres.

➤ Microsoft Exchange est le répartiteur de données central. Il permet d'envoyer et de recevoir des données, y compris en automatique, par le biais d'émissions et de réceptions de fax et de courriers électroniques par modem ou via messagerie dans le cadre d'un réseau, etc.

➤ Si vous souhaitez utiliser Exchange, vous commencerez d'abord par installer un Bureau de poste.

Par ailleurs vous serez obligé de travailler avec Microsoft Exchange et le Bureau de poste si vous souhaitez employer les fonctions Microsoft Fax et MSN de Windows 95.

Vous pouvez utiliser le Bureau de poste d'Exchange pour communiquer avec les messageries électroniques, CompuServe, Internet et d'autres réseaux d'utilisateurs.

Le fait d'employer HyperTerminal et WinCIM (navigateur CompuServe) parallèlement ainsi que Microsoft Exchange pour les télécopies ne pose aucun problème.

Remarque

➤ Les fonctions réseau et communication sont assez proches l'une de l'autre. D'ailleurs Windows 95 les couple. La différence réside le plus souvent dans le type de liaison entre les machines. Microsoft Exchange peut servir aussi bien pour communiquer à l'intérieur d'un réseau local que par l'intermédiaire du téléphone.

➤ Pour l'accès Minitel, Internet et CompuServe, vous ne trouverez pas dans le package Windows 95 les utilitaires requis (pour Internet, ils se trouvent dans le module complémentaire MS-Plus). Il vous faudra donc passer par des applications externes ou d'anciennes versions issues de Windows 3.x.

60 Installation des composants de communication

L'installation des programmes de communication est sensiblement toujours la même. La seule exception est celle de Microsoft Exchange et du Bureau de poste (nécessaire pour les fax), sur laquelle nous reviendrons plus en détail.

Si vous en êtes au stade de l'installation de Windows 95, profitez-en pour installer directement ces applications. Mais en principe, il est plus judicieux de les installer tranquillement par la suite.

Nous allons étudier brièvement les différentes étapes de l'opération, installation du modem, installation du Bureau de poste et de Microsoft Exchange, puis installation des programmes de communication.

Installer le modem

Le modem est le lien indispensable entre votre ordinateur et le réseau téléphonique. Il convertit les données numériques émises en signaux analogiques et convertit les signaux reçus en données. A l'autre bout de la ligne, il faut un autre modem effectuant les opérations inverses. A l'heure actuelle, le taux de transfert standard (vitesse de transmission) est de l'ordre de 14.400 bps (bits par seconde), mais les modems en 28.800 bps sont de plus en plus courants. Si le modem doit également servir à émettre et à recevoir des fax, veillez à choisir un Fax-Modem.

Important : le modem n'est à installer qu'une seule fois. Il sera ensuite reconnu par tous les programmes de communication de Windows 95. Pour les programmes DOS ou 16 bits, une installation séparée sera nécessaire. Il en va de même pour les paramètres de numérotation, définis pour un modem.

1 Appelez la commande *Paramètres* du menu *Démarrer* et cliquez sur le *Panneau de configuration*. Faites ensuite un double clic sur le module *Modems*.

2 Une nouvelle fenêtre apparaît. Si vous avez déjà installé des modems, vous en trouverez la liste et pourrez au besoin en modifier la configuration.

3 Pour installer un nouveau modem, cliquez sur *Ajouter*, puis sur *Suivant* pour demander à Windows 95 de reconnaître automatiquement le périphérique. Pour cela, le modem doit bien sûr être connecté et sous tension.

Windows 95 prend alors un court laps de temps pour contrôler toutes les connexions et échanger des informations avec le nouveau modem.

4 Si tout se passe bien, le modem est ensuite immédiatement prêt à l'emploi.

5 Si Windows 95 ne reconnaît pas correctement le type du modem, indiquez le nom du constructeur et le modèle de l'appareil. Si vous ne trouvez pas le nom du constructeur dans la liste proposée, choisissez l'entrée *Types de modems Standard* et fixez la vitesse de transmission maximale telle qu'elle est annoncée dans le manuel du modem.

Types de modems Standard représente des configuration basées sur le plus petit dénominateur commun de tous les types de modems. Cette option vous fera par conséquent très certainement perdre certaines des fonctionnalités de votre modem.

6 Pour finir Windows 95 a encore besoin de connaître le port auquel ce modem est connecté. Ce ne sera cependant le cas qu'en cas d'échec de la reconnaissance automatique. En principe, l'option COM2 sera le bon choix, le port COM1 étant en général utilisé pour la souris.

Tester un modem installé

Si les paramètres sont incorrects, votre modem ne fonctionnera pas. C'est pourquoi il y a moyen de tester le modem après son installation et d'expérimenter diverses configurations.

1 Si vous venez d'installer le modem, vous devez avoir sous les yeux la boîte de dialogue *Propriétés Modem*. Activez l'onglet *Diagnostics*. Si vous procédez au test par la suite, ouvrez le Panneau de configuration, faites un double clic sur le module *Modems* puis sélectionnez celui que vous voulez tester. Il ne vous reste plus qu'à cliquer sur le bouton *Informations complémentaires* de l'onglet *Diagnostics*.

2 Windows 95 transmet alors quelques données au modem et retourne un certain nombre d'informations techniques. Ne vous en souciez pas, le seul fait que Windows 95 ait pu les récupérer est le signe du bon fonctionnement du nouveau modem.

Configurer la numérotation

1 Activez la boîte de dialogue *Propriétés Modems* et son onglet *Générales* pour visualiser la liste des modems.

2 Cliquez sur votre modem puis sur le bouton *Propriétés de numérotation*. Choisissez *Par tonalité* si votre installation téléphonique est moderne, sinon optez pour *Par impulsions*. Veillez à ce que votre lieu d'appel soit correctement défini.

Définir la vitesse de transmission

1 Cliquez sur le bouton *Propriétés* de l'onglet *Générales*, dans la boîte de dialogue *Propriétés Modems*. Activez l'onglet *Général*.

2 Dans le champ *Vitesse maximale*, indiquez une valeur supérieure à celle de la vitesse de votre modem (pour un modem en 14.400 bps, optez pour 19.200 ou 38.400). Désactivez l'option *Se connecter uniquement à cette vitesse*.

Contrôle des paramètres d'appel et de connexion

1 Dans la boîte de dialogue *Propriétés*, activez l'onglet *Connexion*.

2 C'est ici que vous définirez la structure des données. L'illustration présente les paramètres les plus courants.

3 Dans certains cas, il est bon de définir une valeur supérieure pour l'option *Dé-*

Transmission de données

C 11

R 60

connecter un appel si inactif plus de. En effet, la communication entre deux modems très différents peut demander une construction de la liaison plus longue que d'ordinaire.

Remarque

Ces valeurs seront exploitées au moment de l'initialisation du modem. Les commandes de pilotages sont saisies ici sans le traditionnel "AT" au début de la chaîne de caractères.

Installer le Bureau de poste

Pour pouvoir accéder aux fonctions de Microsoft Exchange et de Microsoft Fax, il faut avoir installé préalablement un Bureau de poste. Ce Bureau de poste joue aussi un rôle majeur dans la réception et l'émission de messages échangés sur le réseau. Dans le cadre du réseau, chaque utilisateur disposera de sa propre boîte aux lettres.

1 Appelez la commande *Paramètres* du menu *Démarrer* et faites un clic sur le *Panneau de configuration*.

2 Double cliquez sur le module *Bureau de poste/Microsoft Mail*.

3 Activez l'option *Créer un nouveau Bureau de poste de groupe de travail* et cliquez sur *Suivant*.

4 Indiquez ensuite à Windows 95 où le nouveau Bureau de poste doit être installé. Cliquez sur *Suivant*.

5 Dans la fenêtre suivante Windows 95 affiche le nom exact du futur Bureau de poste. Notez attentivement ce nom, car Microsoft Exchange vous le demandera ultérieurement. Cliquez sur *Suivant*.

6 L'assistant d'installation crée alors la première boîte aux lettres du nouveau Bureau de poste. Cette boîte est un peu différente des autres, car son propriétaire, vous en l'occurrence, devient de fait administrateur du Bureau de poste, avec un certain nombre de privilèges particuliers : installation de nouvelles boîtes aux lettres, suppression de boîtes aux lettres, etc.

7 Indiquez votre nom dans le champ correspondant, donnez un nom au Bureau de poste et remplacez le mot de passe par défaut par votre propre mot de passe.

8 Cliquez sur *OK*.

Remarque

➤ Si vous installez un Bureau de poste en réseau : pour permettre aux autres utilisateurs d'accéder à votre Bureau de poste, il vous faudra partager le dossier correspondant (vous venez d'en noter le nom). Faites un double clic sur le *Poste de travail*, puis sur le disque dur, et enfin un clic droit sur le dossier en question. Dans le menu contextuel, choisissez la commande *Partager* et définissez les autorisations de lecture et d'écriture. Donnez un nom expressif à ce Bureau de poste dans le champ *Nom de partage*. Là encore, notez soigneusement ce nom, toute personne désirant se connecter à ce Bureau de poste devra effectivement en indiquer le nom de partage.

➤ Chaque nouvel utilisateur se verra ensuite attribuer une boîte aux lettres personnelle dans le Bureau de poste. Cette boîte sera installée par l'administrateur du Bureau de poste. Cette opération est réalisée par l'intermédiaire du Panneau de configuration, par le module *Bureau de poste/Microsoft Mail*. Activez l'option *Administrer un bureau de poste de groupe de travail existant* et choisissez-vous un nom et un mot de passe en votre qualité d'administrateur. Le bouton

Transmission de données

C 11

R 60

Ajouter un utilisateur installe une nouvelle boîte aux lettres. Il suffit de définir le nom de l'utilisateur et celui de sa boîte. Conservez le mot de passe par défaut, de toute manière, l'utilisateur le remplacera par son propre mot de passe lors de sa première connexion.

Installer Microsoft Exchange

Microsoft Exchange est en quelque sorte le central du courrier électronique. Il permet de rassembler sous une même interface MSN, la gestion des fax, les courriers E-mail et Internet. Son rôle est par conséquent de recevoir, d'émettre et d'éditer tous les types de messages électroniques.

Vous pouvez savoir très simplement si Microsoft Exchange est déjà installé, ceci par l'icône *Boîte de réception*, disposée sur votre Bureau. Cela dit, le fait que la boîte de réception existe ne signifie pas forcément qu'une boîte aux lettres ait été créée.

1 Faites un double clic sur l'icône *Boîte de réception*. Cette action lance l'assistant de configuration de Microsoft Exchange. Dans la fenêtre apparaît une liste de tous les services d'informations disponibles pour ce programme. Si l'un d'entre eux fait défaut, par exemple Microsoft Fax ou le support *Internet Mail*, il vous faudra l'installer.

2 Cochez tous les services que vous envisagez d'utiliser et supprimez la coche devant ceux qui ne vous serviront pas. Si le service *Microsoft Mail* est affiché alors que vous n'en avez aucune utilité, désactivez-le.

3 Si le modem n'est pas encore configuré, vous en verrez apparaître ensuite (après un clic sur *Suivant*) la demande.

4 Si vous avez activé le support Microsoft Fax, les questions suivante s'y rapporteront. En premier lieu : quel est le périphérique à utiliser pour l'envoi de fax ?

5 Après un clic sur *Propriétés*, vous aurez l'occasion de définir les éléments de pilotage de votre programme Microsoft Fax. Optez pour une acceptation manuelle des appels si la même ligne téléphonique sert à la fois aux conversations et aux fax.

6 Pour la prochaine question, l'assistant donne les éléments de réponse : si la même ligne est également appelée à recevoir des messages vocaux, le service fax ne doit pas systématiquement décrocher.

7 Indiquez votre nom et votre numéro de fax.

Transmission de données

C 11

R 60

8 Si vous souhaitez configurer d'autres composants de Microsoft Exchange, le programme vous posera des questions complémentaires. Vous aurez notamment à définir l'adresse du Bureau de poste. Si vous configurez la messagerie CompuServe, il vous sera demandé votre User-ID, votre mot de passe et le numéro du noeud d'accès à CompuServe. Au besoin, jetez un coup d'oeil sur votre ancien WinCIM pour trouver les données manquantes.

9 Les deux prochaines étapes concernent la création d'un Carnet d'adresses personnel (programme d'enregistrement et de gestion des adresses de messagerie électronique et de numéros de téléphone). Et d'un dossier personnel (de stockage de vos messages personnels). Acceptez les propositions de nom en cliquant sur *Suivant*.

10 Pour finir, Windows 95 veut savoir si la Boîte de réception doit être chargée automatiquement au démarrage ou pas. La première solution est conseillée, surtout si vous utilisez également les services de Microsoft Fax. Rappelez-vous que les entrées de Microsoft Fax ne sont acceptées que si la Boîte de réception est chargée. Si la messagerie CompuServe est installée, Microsoft Exchange se charge automatique de chercher les nouveaux messages entrants.

11 Après un clic sur *Terminer*, certains raccourcis sont créés ou actualisés.

(Remarque)

Une variante (ou si la *Boîte de réception* n'apparaît plus sur votre Bureau) vous permet aussi d'installer Microsoft Exchange par le Panneau de configuration et son module *Ajout/Suppression de programmes* (*Installation de Windows/Microsoft Exchange*). Ceci fait, double cliquez sur son icône pour le configurer.

Installation des programmes de communication

L'installation des programmes de communication est lancée par un double clic sur le module *Ajout/Suppression de programmes* dans le Panneau de configuration.

L'installation du programme Microsoft Fax et de Microsoft Network est toujours combinée à celle de Microsoft Exchange, si ce dernier n'est pas encore copié sur le disque dur.

Pour vous attaquer à cette opération, deux choses exigent d'être parfaitement claires :

➤ Par l'inscription à MSN, vous devenez membre de la confrérie. A ce titre vous disposerez d'un nom de membre, d'un mot de passe et devrez verser une contribution mensuelle.

➤ Vous devez avoir une carte de crédit car c'est elle qui sera débitée du montant requis.

1 Dans le menu *Démarrer*, activez la commande *Panneau de configuration* et son module *Ajout/Suppression de programmes*.

2 Faites un double clic sur l'onglet *Installation de Windows*.

3 Placez alors une coche devant l'application à installer.

Transmission de données

C 11

R 60

4 Pour installer *HyperTerminal*, l'*Accès réseau à distance*, la *Connexion directe par câble* ou encore le *Numéroteur téléphonique*, vous activerez l'entrée *Communications* et cliquerez sur le bouton *Détails*.

5 Lorsque votre choix est fait, validez par *OK*.

Pendant l'installation des programmes de communication, vous serez confronté à quelques boîtes de dialogue nécessaires à la mise en service des fonctions Microsoft Fax et Microsoft Network.

Le gestionnaire de fax

Lors de l'installation des fonctions Microsoft Fax (en liaison avec Microsoft Exchange) vous retrouverez les mêmes boîtes de dialogue de configuration que pour l'installation d'Exchange. Les étapes sont identiques :

➤ Sélection du périphérique pour l'émission des fax.

➤ Au besoin, configuration du Fax-Modem.

➤ Choix du mode de décrochage (manuel ou automatique).

➤ Indication de votre numéro de Fax.

➤ Choix du chargement automatique, au démarrage de Windows 95, de la Boîte de réception.

Accès à Microsoft Network

Pour Microsoft Network, apparaît d'abord un message de bienvenue.

1 Après un clic sur *OK*, une autre fenêtre est présentée. Cliquez sur *Connecter*. Cette action relie automatiquement votre machine à un numéro de téléphone gratuit, pour accès à un certain nombre d'informations et à un formulaire d'inscription.

2 Par l'intermédiaire des différents boutons qui vous sont proposés, parallèlement aux conditions générales et aux informations détaillées concernant le service, vous pourrez prendre connaissance de la tarification. Sachez que sans acceptation expresse des règles, aucun accès n'est possible.

3 Si ces informations ne vous ont pas rebuté, vous devez alimenter MSN de quelques informations vous concernant, avant de pouvoir devenir membre. Avec la case à cocher située en bas à gauche vous définirez si vous souhaitez recevoir les communications et offres spéciales de Microsoft et autres entreprises de renom.

4 Etape suivante : le mode de paiement. Le choix n'est pas grand, ne sont en effet proposées que les cartes Visa ou Mastercard.

5 Lorsque tout est au point, cliquez sur le bouton *Rejoindre maintenant*.

6 Votre machine se connecte alors automatiquement au point d'entrée le plus proche.

7 Si tout fonctionne correctement, c'est le moment de saisir votre nom d'utilisateur et votre mot de passe sur 8 caractères.
Si votre nom est déjà employé par une autre personne, il faudra vous en choisir un autre.

8 Sur le Bureau de votre ordinateur apparaît une nouvelle icône que vous pourrez désormais activer d'un double clic.

Transmission de données

C 11

R 60

61 Travailler avec les programmes de communication

Utiliser Microsoft Exchange

Toutes les informations qui vous parviennent sont stockées et gérées par le Bureau de poste que vous aurez défini. Dans le réseau local, vous aurez aussi l'occasion d'envoyer des messages et serez accessible même si votre machine est éteinte.

Envoyer un message

Ouvrez Microsoft Exchange par un double clic sur l'icône *Boîte de réception*, sur le Bureau, ou appelez *Programmes/Microsoft Exchange* dans le menu *Démarrer*.

1 Appelez la commande *Message/Nouveau message* ou cliquez sur le bouton correspondant de la barre d'outils.

2 Un formulaire apparaît, dans lequel clignote le curseur d'insertion. Pour définir le destinataire, cliquez sur le bouton *A...*

3 Cliquez sur le nom voulu dans votre carnet d'adresses, à choisir entre le carnet spécifique du bureau de poste ou votre carnet personnel.

4 Si le destinataire n'est pas listé dans aucun des carnets, cliquez sur *Fichier/Nouvelle entrée* ou le bouton de même nom. Dans la boîte de dialogue *Nouvelle entrée*, définissez le type de transmission. Cette entrée pourra être reprise ou non dans le carnet d'adresses.

5 Cette entrée peut s'accompagner de toute une série d'informations complémentaires. La seule qui soit obligatoire est le numéro d'appel de cet utilisateur. Dans notre exemple il s'agit d'un numéro de fax, mais il aurait aussi pu s'agir d'une adresse Microsoft Mail.

6 Puis, vous reviendrez dans la fenêtre *Nouveau message* de Microsoft Exchange. Dans le champ *Cc*, vous pouvez spécifier d'autres destinataires qui recevront une copie de votre message. Résumez brièvement le message dans le champ Objet*Objet*. Lorsque le message arrivera à destination, c'est cette rubrique qui sera présentée en premier lieu au destinataire.

7 Rédigez le message, en usant de toutes les fonctions de traitement de texte proposées par cette fenêtre.

8 Si vous désirez accompagner le message d'un fichier, jouez de la commande *Fichier* du menu *Insertion*. Le même effet est obtenu par le bouton marqué d'un trombone, dans la barre d'outils.

9 Lorsque le message est terminé, activez la commande *Envoyer* du menu *Fichier* ou le bouton correspondant de la barre d'outils.

Transmission de données

C 11

R 61

Recevoir un message

Vous ne pourrez recevoir des messages que si Microsoft Exchange est actif. Si ce programme n'est pas chargé au moment de la réception d'un message, la missive sera stockée par le Bureau de poste, dans votre boîte aux lettres. Au prochain chargement de Microsoft Exchange, ces messages deviendront disponibles.

1 Cliquez sur l'icône Boîte de réception depuis le Bureau. Si la liste des dossiers n'est pas visible, appelez-la par le menu *Affichage*.

2 Utilisez le menu *Outils* pour chercher les nouveaux messages.

3 Dans la fenêtre de droite de Microsoft Exchange sont présentés tous les messages reçus. Faits un double clic sur l'un d'eux pour en prendre connaissance. Les messages non encore lus sont affichés en caractères gras.

4 Au besoin, répondez immédiatement. Cliquez sur le menu *Message* et la commande *Répondre à l'expéditeur*. L'adresse de l'expéditeur initial devient automatiquement celle du destinataire, il reste à rédiger la réponse. Le message original est automatiquement joint à la réponse, permettant ainsi au correspondant de savoir à quoi correspond votre réponse.

5 Une fois que vous aurez lu les messages, le plus simple est de les supprimer. Sélectionnez-les simplement puis appuyez sur SUPPR.

Remarque

➤ L'arrivée de nouveaux messages est matérialisée dans la Barre des tâches par l'icône d'une enveloppe, tout à droite.

➤ Toutes les 10 minutes, le système vérifie l'arrivée de nouveaux messages.

➤ C'est dans le module *Courrier/Télécopies* du Panneau de Configuration que vous pourrez prendre connaissance de l'adresse du Bureau de poste. Cliquez sur *Services/Microsoft Mail* puis sur *Propriétés*.

62 Microsoft Network

Microsoft Network ou MSN est un réseau auquel vous vous connecterez par téléphone. Il propose des informations sur des thèmes très divers, avec possibilité de téléchargement de ces informations ou de mises à jour de programmes. Cela dit, l'offre de MSN n'est pas encore très importante : les incertitudes juridiques aux USA empêchent pour le moment l'arrivée massive des industriels. Il reste à voir si la situation va évoluer et dans quel délai !

Par les forums vous est ouverte la communication directe avec d'autres utilisateurs. Une question posée dans ce cadre trouvera sa réponse le lendemain ou après quelques jours au plus tard. C'est également un moyen d'envoyer à d'autres utilisateurs des messages ou des fichiers.

Orientation dans MSN

Au démarrage de Microsoft Network, vous arriverez dans un écran proposant plusieurs options. Voici ces alternatives :

➤ Cliquez sur *Courrier électronique* pour envoyer des messages à d'autres confrères du réseau.

➤ Après un clic sur *Catégories*, vous arriverez aux diverses offres d'informations et pourrez choisir un sujet.

Transmission de données

C 11

R 62

➤ Si par contre vous avez des questions à poser, cliquez sur *Assistance aux membres*.

➤ Si vous avez déjà défini vos thèmes de prédilection, cliquez sur Endroits favoris pour arriver rapidement à ce qui vous intéresse.

➤ Les informations les plus récentes concernant MSN sont disponibles par l'option *MSN Aujourd'hui*.

Lire et envoyer un message

Si vous avez opté pour *MSN Aujourd'hui*, vous pourrez visualiser les messages de ce forum par un double clic. Si ces informations présentent un intérêt pour vous, le menu *Fichier* vous proposera les commandes adéquates pour leur impression ou leur enregistrement sur votre disque dur. Et pourquoi ne pas répondre immédiatement par *Message/Réponse* à l'expéditeur.

Pour envoyer un nouveau message, appelez la commande *Message/Nouveau message*. Il sera à la disposition de l'ensemble des membres du forum. N'oubliez pas d'en préciser l'objet puis lancez ensuite *Message/Transférer*. Vous pouvez même y adjoindre un fichier par le menu *Insertion*.

Remarque

Pour envoyer un message à un utilisateur précis, utilisez la fonction de courrier électronique de Microsoft Exchange.

Appelez les informations par catégorie

Dans le cadre d'une même catégorie, les informations sont rangées dans divers dossiers. Les manipulations de ces différents dossiers sont les mêmes que pour le dossier Poste de travail.

L'ouverture et la navigation dans ces dossiers prenant un certain temps, reprenez vos éléments préférés dans *Endroits favoris*. A cet effet, MSN met à votre disposition une barre d'outils spéciale. Ces endroits favoris sont accessibles par le bouton correspondant du menu principal ou par la commande *Edition/Atteindre/Endroits favoris*.

Pour mettre un terme à votre visite dans MSN, passez par la commande *Fichier/Déconnexion*.

63 Envoyer des télécopies

Avec Windows 95, vous ne pourrez envoyer ou recevoir des télécopies qu'après avoir réglé les divers préparatifs évoqués en début de ce chapitre : installation du modem, de Microsoft Exchange et du module Microsoft Fax.

Envoyer un Fax

1 Lorsque les préparatifs évoqués sont réglés, plusieurs solutions vous attendent :

Ouvrez le dossier contenant le fichier à expédier. Cliquez dessus avec le bouton droit de la souris et appelez dans le menu contextuel la commande *Envoyer vers*.

Il est également possible de faxer directement à partir d'une application (Word pour Windows par exemple), par la commande *Fichier/Imprimer*, en choisissant comme imprimante *Microsoft Fax*.

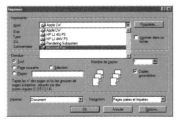

Troisième possibilité : comme vu précédemment, rédigez le message et envoyez votre fax au moyen de Microsoft Exchange.

Transmission de données

C 11

R 63

2 Quelle que soit la solution retenue, après un court instant apparaît une boîte de dialogue dans laquelle il vous sera demandé d'indiquer le numéro du destinataire.

3 Pour envoyer en une fois le même message à plusieurs destinataires, cliquez successivement les adresses correspondantes et sur le bouton *Ajouter à la liste*.

4 Cliquez sur *Suivant*. La boîte de dialogue suivant permet de choisir un type de page de garde à adjoindre à votre document. Windows 95 est effectivement livré avec quelques unes de ces pages de garde, mais vous pouvez en créer vous-même ou modifier celles déjà existantes (cf. ci-après l'éditeur de page de garde de télécopie du menu *Démarrer*.

5 Un nouveau clic sur *Suivant* affiche une boîte de dialogue pour la saisie d'éventuelles informations complémentaires.

6 En fin de parcours Windows 95 ouvre une petite fenêtre en haut de l'écran vous informant de l'avancement de l'opération.

Remarque

➤ Pour interrompre l'émission d'un fax, cliquez sur l'icône en forme de télécopieur à droite de la Barre des tâches. La fenêtre d'état de Microsoft Fax apparaît, avec le bouton *Interrompre*, si un fax est en cours d'émission. Cliquez dessus pour interrompre la liaison téléphonique.

➤ Si vous avez lancé plusieurs émissions de fax, un double clic sur l'icône du modem dans la Barre des tâches ouvre la file d'attente d'émission de fax. Elle ne permet cependant pas de supprimer une commande. Cette opération doit être réalisée par Microsoft Exchange. Ouvrez pour cela la *Boîte de réception*, sélectionnez le fax à supprimer et appuyez sur la touche *SUPPR*.

Recevoir des Fax

Si votre modem est allumé, vous pourrez recevoir des fax. La façon dont se déroule la réception dépend de la configuration du programme Microsoft Fax.

➤ Si la réception automatique est activée, le PC et le modem se chargent de tout.

➤ Si la réception est paramétrée en manuel, toute nouvelle télécopie se signale par l'affichage d'un message. Cliquez alors sur *Oui* pour accepter la réception.

Pour visualiser et imprimer les fax reçus, lancez Microsoft Exchange et cliquez sur le dossier *Boîte de réception*. Un double clic sur un fichier fax dans la fenêtre droite de Microsoft Exchange l'affiche pour visualisation. Un clic sur l'icône d'impression dans la barre d'outils envoi le fax à l'imprimante.

Modifier ou créer des pages de garde de Fax

Windows 95 est livré avec quelques pages de garde dédiées aux fax. Pour créer une page de garde personnalisée, vous disposerez d'un éditeur spécial, accompagnant Windows 95.

Cet éditeur est doté de nombreuses fonctions graphiques et de PAO, permet de créer des pages complexes et ne se limite pas à la création de pages de garde.

Transmission de données

C 11

R 63

1 Lancez l'éditeur par le menu *Démarrer* et la commande *Programmes/Accessoires/Télécopieur/Editeur de page de garde*.

2 Soit vous créez une toute nouvelle page, soit vous modifiez une page existante. Les pages de garde prédéfinies se trouvent dans le répertoire Windows.

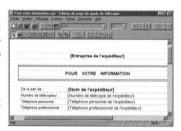

3 Lorsque la page de garde est terminée, sauvegardez-la par la commande *Fichier/Enregistrer sous*.

Quelques principes et astuces d'agencement des pages de garde

➤ Tout élément d'une page de garde est déplaçable. Positionnez le curseur sur un de ces éléments, enfoncez et maintenez le bouton gauche et déplacez. L'objet suit les mouvements de la souris.

➤ Pour supprimer un objet, sélectionnez-le et appuyez sur *SUPPR*.

➤ Les éléments peuvent se superposer (par exemple des caractères blancs sur un fond noir). Dans la barre d'outils, vous trouverez tout le nécessaire pour déplacer les objets dans la pile de superposition.

➤ Avant de formater un objet, sélectionnez-le d'un clic. La mise en forme du texte se fait par les boutons de la barre d'outils. Pour les objets graphiques (rectangles, ellipses, etc.) recourez plutôt au menu contextuel.

➤ Les boutons ci-dessous ont pour fonction de créer de nouveaux objets.

➤ Le menu *Insertion* sert à intégrer dans la page de garde des informations concernant l'expéditeur, le destinataire ou le document.

64 Communication par HyperTerminal

Avec HyperTerminal et un modem, vous établirez une connexion avec un ordinateur distant doté des mêmes composants. Il pourra s'agir du PC d'une messagerie électronique ou de celui d'un collègue.

1 Si HyperTerminal est déjà instal-
lé, vous le trouverez dans le groupe *Accessoires* du menu *Démarrer*. Un clic dessus ouvre le dossier et présente le programme.

Les nouvelles connexions et les connexions sauvegardées sont stockées dans le même dossier, d'où un accès rapide et facile.

2 Faites un double clic sur l'icône d'HyperTermi-
nal (Hypertrm.exe). Dans la boîte de dialogue suivante, donnez un nom à la connexion et appliquez-lui une icône. Validez par *OK*.

3 Dans la fenêtre suivante, indiquez le nu-
méro de téléphone à composer. Validez encore une fois par *OK*.

Dans la boîte suivante, les boutons *Modifier* et *Propriétés de numérotation* permettent de modifier la configuration du modem. Si le modem est déjà configuré comme il se doit, aucune modification ne sera nécessaire. Vous pouvez cliquer directement sur *Composer un n°*.

Transmission de données

C 11

R 64

4 La connexion est établie, aboutissant soit à l'écran de bienvenue de la messagerie ou soit à simple message annonçant le succès de la connexion en cas de liaison privée.

5 Pour envoyer ou recevoir des données, utilisez les commandes *Transfert/Envoyer le fichier* ou *Transfert/Recevoir un fichier*. Ces commandes sont également disponibles sous forme de boutons depuis la barre d'outils (respectivement icônes *Envoi* et *Réception*).

6 Pour un transfert de fichier, indiquez avec précision le nom du fichier à expédier ou à recevoir. Si nécessaire, cliquez sur le bouton *Parcourir* pour le localiser.

Reste à définir le bon protocole de communication. En général, il s'agira de ZModem. Le programme de communication de votre correspondant doit bien sûr utiliser le même protocole.

7 Une communication en cours peut être arrêtée par la commande correspondante du menu *Appel* (*Se déconnecter*).

Remarque

Pour pouvoir retrouver la même connexion par la suite, sauvegardez-la avec la commande *Fichier/Enregistrer*. HyperTerminal mémorise alors tous les paramètres dans le fichier indiqué et lui affecte l'icône que vous avez choisie au moment de la création.

Internet

C'est bien connu : "tous les chemins mènent à Rome". Et cet adage s'applique parfaitement à Internet. Dans ce chapitre, vous apprendrez à vous connecter à Internet, à rechercher les meilleures possibilités d'accès pour la première escapade sur le World Wide Web.

65 Accéder à Internet

Accès personnel via une liaison téléphonique

Les serveurs d'Internet sont reliés entre eux par des connexions permanentes. Chaque participant peut donc accéder directement aux données stockées sur les autres systèmes. De même, les messages expédiés traversent le réseau en quelques secondes.

Naturellement, vous n'avez pas besoin de faire des pieds et des mains pour accéder aux services Internet. Il suffit de connecter votre propre ordinateur à l'une des machines du réseau par liaison téléphonique. Pendant le temps de la connexion, votre PC deviendra un système Internet à part entière. Vous pourrez échanger des données sur tout le réseau et presque sans restriction.

Sur le réseau mondial des données, il existe un nombre incalculable de points d'accès qui sont le plus souvent gérés par des fournisseurs d'accès à Internet : les "Providers". Bien entendu, ces derniers font payer leurs services. Les pages suivantes vous indiquent comment se calcule le coût de votre accès Internet et par quels moyens vous pouvez le réduire. Sachez encore que les prix varient d'un prestataire à l'autre.

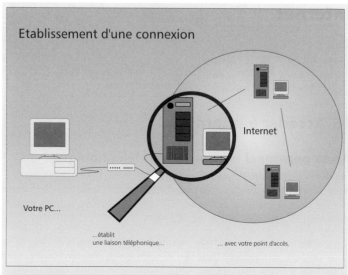

Etablissement d'une connexion

Votre PC...

Internet

...établit
une liaison téléphonique...

... avec votre point d'accès.

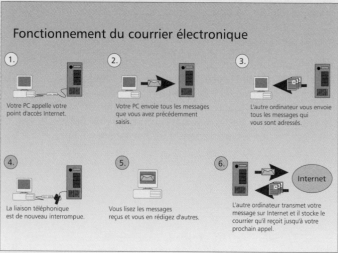

Fonctionnement du courrier électronique

1. Votre PC appelle votre point d'accès Internet.

2. Votre PC envoie tous les messages que vous avez précédemment saisis.

3. L'autre ordinateur vous envoie tous les messages qui vous sont adressés.

4. La liaison téléphonique est de nouveau interrompue.

5. Vous lisez les messages reçus et vous en rédigez d'autres.

6. L'autre ordinateur transmet votre message sur Internet et il stocke le courrier qu'il reçoit jusqu'à votre prochain appel.

Internet

Remarque

Un simple accès au courrier est l'option la plus économique
Si Internet doit principalement vous servir à expédier des lettres électroniques aux quatre coins du monde (et recevoir des réponses), ainsi qu'à participer à des forums de discussion, le simple "accès courrier" est ce qu'il y a de moins cher. Vous n'accéderez certes pas aux autres services Internet (comme le World Wide Web par exemple), mais vous pourrez au moins échanger des courriers avec le reste de la planète. Contrairement à l'accès complet, un tel accès courrier ne s'obtient pas grâce au procédé TCP/IP, mais par ce qu'on appelle le "UUCP". Sa signification exacte sur le plan technique n'a pas grand intérêt. Il faut simplement savoir que cet accès se limite aux services postaux et qu'en contrepartie son coût est particulièrement bas.

Accéder à Internet par le biais d'autres services en ligne

Il existe en France (comme dans le monde entier) différents services online, qui proposent à leurs clients des services électroniques tels que l'échange de courrier entre différents usagers, la fourniture de logiciels, les renseignements SNCF, l'exécution électronique de transactions bancaires, etc.

Nous pensons par exemple au prestataire de service CompuServe. Ces services en ligne donnent également accès à Internet : le prestataire installe des points d'accès direct vers Internet, qui raccordent les ordinateurs de son propre réseau à ceux d'Internet.

Lorsqu'un client se connecte sur le réseau du service en ligne, il peut se servir de cette liaison pour accéder aux serveurs Internet.

Internet

C 12

R 65

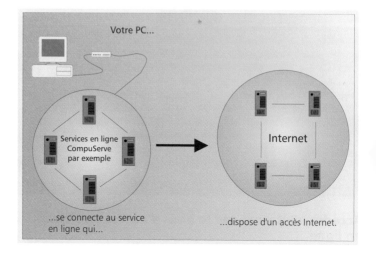

Votre PC...

Services en ligne
CompuServe
par exemple

Internet

...se connecte au service
en ligne qui...

...dispose d'un accès Internet.

Quel est le prix de revient d'Internet ?

Le prix qu'il vous en coûtera dépend du choix de votre type d'accès et de son utilisation. Si vous êtes assis dans le local informatique d'une université, ou si vous vous connectez sur Internet à partir d'un réseau d'entreprise, vous pouvez surfer gratuitement sur le réseau.

Frais d'accès

Par contre, il est déjà plus cher de se faire aménager un accès par un fournisseur spécialisé (Provider). Ce dernier exige un abonnement mensuel rien que pour la mise à disposition d'un droit d'accès, sans compter que des frais supplémentaires, calculés en fonction de la masse des données transmises, sont souvent exigés. Cela s'applique également à l'accès Internet que fournissent les services en ligne tels que CompuServe ou AOL (la facture comprend les frais d'utilisation habituels, auxquels vient s'ajouter le prix de la connexion Internet - qui se calcule le plus souvent en fonction de la durée de connexion).

66   Ce dont vous avez besoin pour Internet

Maintenant que vous connaissez les différentes voies menant au réseau global, voyons comment votre système informatique doit être équipé, pour que cela fonctionne.

Vérifiez votre système avant de vous connecter !

Pour vous connecter sans difficulté à Internet, vous devez remplir les cinq conditions suivantes :

1 Posséder un ordinateur...

2 ... sur lequel est installé un logiciel d'accès adapté à Internet.

3 Pour être en mesure de se connecter à Internet, votre ordinateur doit être raccordé à une prise téléphonique...

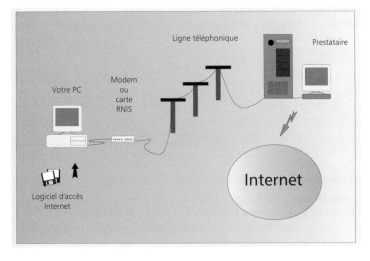

Ligne téléphonique

Prestataire

Votre PC

Modem
ou
carte
RNIS

Internet

Logiciel d'accès
Internet

Internet

C 12

R 66

... par l'intermédiaire d'un modem ou d'une carte RNIS.

5 Vous devez finalement prendre contact avec un provider qui mettra un noeud d'accès Internet votre disposition.

Le PC est raccordé au téléphone : le modem

Votre PC doit être équipé d'un appareil spécial, afin de pouvoir utiliser la ligne téléphonique en vue d'établir la connexion. Si vous disposez d'une prise RTC, vous devez employer un modem. Celui-ci transformera les signaux numériques du PC en signaux acoustiques, avant de les transmettre sur la ligne téléphonique.

Dans ce domaine, il existe plusieurs vitesses qui se calculent en "bit/s" (Bits par seconde, ou "bps" en abrégé). Peu importe ce que cela signifie réellement. Lorsque vous choisirez votre modem, vous devrez avant tout tenir compte des éléments suivants : l'utilisation d'Internet entraîne la transmission de quantités de données incroyablement élevées. Un modem rapide transmet plus de données sur la ligne et en un temps plus bref - ce qui vous permet de préserver vos nerfs grâce à une réduction des temps d'attente, mais également d'économiser de l'argent. En effet, plus votre temps de connexion est court, moins votre facture téléphonique augmente.

La vitesse de transmission normalisée est actuellement de 14400 bit/s. Pour vos promenades sur Internet, il est préférable de ne pas avoir recours à des modems moins rapides (9600, voire même 2400 bit/s). Actuellement, les modems les plus performants supportent 28800 bit/s. Nous vous conseillons un modem de ce type, si vous êtes décidé à en acheter un.

La solution de luxe : RNIS

Si vous disposez d'une ligne téléphonique numérique, vous devriez vous offrir une carte RNIS, que vous installerez à l'intérieur de votre PC. Celui-ci pourra alors accéder directement au réseau numérique et vous surferez sur Internet à la vitesse prodigieuse de 64000 bit/s.

Les logiciels

Si vous disposez de tout le matériel nécessaire (ordinateur, prise téléphonique et modem/carte RNIS), préoccupez-vous des logiciels. En effet,
pour être en mesure de communiquer avec le système Internet qui est à
l'autre bout de la ligne, votre ordinateur doit parler le même langage.
Par bonheur, vous n'aurez pas à lui faire suivre d'interminables cours de
langues, car il suffit d'installer un simple logiciel.

TCP/IP - la base de toute activité sur Internet

Lors de la lecture de notre courte histoire d'Internet, vous avez déjà rencontré
le sigle TCP/IP (Transmission Control Protocol / Internet Protocol). Rien de
bien terrible ne se dissimule derrière ce nom à rallonge. Il s'agit du "langage"
qu'utilisent les machines Internet pour communiquer entre elles.

Le logiciel TCP/IP fonctionne comme une sorte de "base" sur lequel se
hissent les autres logiciels Internet (que vous verrez à l'écran).

TCP/IP assure donc "au plus bas niveau" le pilotage des appareils de
télécommunication, ainsi que la transmission des données entre deux
ordinateurs Internet, au départ comme à l'arrivée.

Le logiciel, avec lequel vous travaillez (par exemple Netscape, dont il est
question au début), utilise alors les contacts établis par TCP/IP. Il ne se
soucie plus des modalités de la communication proprement dite. Il peut
donc se consacrer exclusivement à sa tâche spécifique.

Si TCP/IP est offert pour l'achat de nombreux systèmes (dont Windows 95),
ce même logiciel doit être parfois acheté et installé séparément (c'est le cas
de Windows 3.1).

Les applications Internet

Le "véritable" logiciel s'appuie sur la base TCP/IP. A titre d'exemple, nous
présentons dans ce livre le navigateur Netscape (World Wide Web,
transfert de fichiers, participation aux groupes de discussions et autres
tâches similaires) ainsi que le logiciel de courrier électronique Eudora.

Internet

C 12

R 66

Bien entendu, vous pouvez aussi employer d'autres applications Internet telles que NCSA Mosaic, IBM Web Explorer, Microsoft Internet Explorer, etc. Nous avons choisi Netscape et Eudora, car ce sont deux logiciels très connus et appréciés chez les utilisateurs Windows. Ils proposent en outre certaines commandes faisant défaut aux produits concurrents.

Le fournisseur d'accès

Le plus difficile, lorsque l'on recherche un accès Internet, est de choisir le "bon" fournisseur. Ce provider met à votre disposition un point d'accès à Internet, ce qui vous permet d'accéder aux différents services du réseau, tels que le World Wide Web, le téléchargement de fichiers et les forums d'information notamment.

Chaque connexion coûte de l'argent

Bien entendu rien n'est gratuit. Votre fournisseur a des frais, ne serait-ce que pour raccorder ses lignes au réseau et il entend bien les rentabiliser. Il vous fera donc payer certains frais d'utilisation du réseau. Selon la facturation de votre fournisseur, l'importance de ces frais peut être déterminée par différents facteurs :

➤ durée de connexion

➤ type de service utilisé

➤ volume des données transmises

➤ localisation des services choisis (dans votre pays ou à l'étranger)

➤ rapidité de la transmission

➤ période de connexion

Choisissez un accès adapté à vos besoins

Etant donné que chaque prestataire calcule les frais à sa manière, vous devez définir clairement quelle sera l'utilisation de votre accès, avant de retenir l'offre qui vous semble la plus avantageuse. Vous pourrez choisir dans notre grande liste de providers, l'accès correspondant le mieux à votre profil d'utilisation et offrant les meilleures conditions.

Cependant, avant de courir le risque de vous perdre dans l'immense variété des tableaux de tarification des différents fournisseurs, vous devriez dresser une liste des points qui vous semblent essentiels (et auxquels vous ne pouvez pas renoncer). Nous avons regroupé pour vous les questions décisives en la matière dans ce qui suit.

Une utilisation purement privée ou également professionnelle ?

Beaucoup de fournisseurs proposent des tarifs exceptionnels, très avantageux pour les particuliers. Donc si vous êtes sûr de ne vouloir utiliser les services Internet qu'à des fins privées, vous devriez jeter un coup d'œil à ces promotions.

Des séjours prolongés sur le réseau ou le téléchargement de grandes quantités de données ?

En dehors de la séparation privé/professionnel, la distinction majeure entre les diverses modalités de facturation réside dans un calcul basé soit sur le temps de connexion au réseau, soit sur la quantité de données transmises.

Réfléchissez bien, afin de choisir la facturation qui vous avantage le plus. Désirez-vous effectuer de longs séjours sur le réseau, pour en explorer chaque recoin ? Ou avez-vous plutôt l'intention de télécharger sur votre PC des masses de données particulièrement importantes, des programmes par exemple ?

Utiliser le réseau à toute heure ou seulement le soir ?

Vous avez encore le choix entre un accès illimité et une utilisation restreinte. Dans le cas de cette dernière, les fournisseurs proposent généralement un tarif plus avantageux.

Des services exclusivement français ou également internationaux ?

De nombreux providers proposent aussi un accès limité au réseau national assorti d'une réduction de tarif. D'autres surfacturent les connexions internationales.

Internet

C 12

R 66

Quelles sont les vitesses de transmission possibles ?

En ce qui concerne la vitesse de transmission, sachez que si vous disposez d'un modem moderne ou d'une carte RNIS ultra rapide, vous auriez tort de laisser un accès Internet d'une lenteur exaspérante limiter votre vitesse. Par ailleurs, vous devriez également vérifier si votre fournisseur ne vous compte pas de frais supplémentaires pour des vitesses de transmission élevées.

Avez-vous besoin d'une assistance téléphonique ?

De nombreux providers proposent également un service complet. En plus de l'ouverture de l'accès proprement dit, votre fournisseur Internet vous livre tous les logiciels nécessaires sur disquette(s) et assure un suivi individuel ainsi qu'une assistance téléphonique. Il est bien évident que ce service n'est pas gratuit, mais si vous êtes intéressé, vous devriez en tenir compte dans le choix de votre fournisseur.

Les points de connexion du fournisseur sont-ils bien situés ?

Il est important de savoir si le prestataire dispose bien de points de connexion situés dans votre voisinage, non pas en raison du calcul des tarifs d'accès, mais pour l'incidence que cela peut avoir sur votre facture téléphonique. En effet, de longues communications interurbaines auront tôt fait d'engloutir l'argent économisé grâce au tarif d'accès le plus avantageux.

67 Bienvenue sur les autoroutes de l'information

Voilà, vous pouvez maintenant vous connecter au réseau mondial Internet ! A cet égard, le présent chapitre vous donne des directives complètes. Il présente en détail chacune des étapes nécessaires en s'appuyant sur l'exemple de Windows 95. Pour les autres systèmes, la connexion fonctionne de manière analogue, si bien que l'essentiel de ce que nous montrons s'y applique également.

Étape 1 : chercher le fournisseur d'accès

Si vous avez dressé une liste facilitant le choix de votre fournisseur sur la base des questions évoquées dans la section précédente, il est temps de vous mettre à la recherche d'un provider proposant un accès qui vous convient.

Étape 2 : installer le modem ou la carte RNIS

Pour vous rendre par liaison téléphonique sur le serveur Internet de votre fournisseur d'accès, vous devez raccorder votre ordinateur à une ligne téléphonique. Pour cela, vous pouvez utiliser un modem (pour les lignes analogiques) ou une carte RNIS (dans le cadre d'une liaison numérique moderne). Si vous ne possédez pas encore un tel périphérique, il est grand temps d'en faire l'acquisition et de l'installer.

Étape 3 : configurer l'accès

Maintenant que vous disposez d'un fournisseur d'accès et du matériel permettant une connexion, vous pouvez vous lancer. Procurez-vous auprès de votre provider la liste des informations relatives à votre accès - du numéro de téléphone qui vous permet de joindre votre point d'accès, aux modifications que vous devez apporter à votre système pour que votre ordinateur parle le même langage que la machine Internet (dans le jargon Internet : pour qu'ils utilisent le même protocole), en passant par différents codes et mots de passe donnant accès au serveur.

Pensez à demander à votre fournisseur d'accès "l'adresse IP" correspondant à votre système. Cette adresse (suite de chiffres composée de quatre blocs séparés par des points) permet d'identifier à coup sûr votre ordinateur sur Internet et le transforme en véritable maillon du réseau.

Internet

Remarque

L'adresse IP 0.0.0.0
Si votre prestataire Internet ne vous communique pas d'adresse précise, vous recevrez lors de chaque connexion un nouveau numéro, dont l'usage sera limité à la session en cours. En pareilles circonstances, si votre logiciel vous demande une adresse IP avant d'établir l'accès, inscrivez simplement 0.0.0.0.

C 12

R 67

Vous devrez saisir toutes ces informations au cours des étapes suivantes (installation du logiciel Internet). Il s'agit à présent d'adapter votre ordinateur à Internet grâce à un logiciel conçu dans ce but. La base TCP/IP, dont il est question plus haut, joue ici un rôle essentiel. Ce logiciel spécifique assure la communication fondamentale avec le serveur Internet en établissant pour ainsi dire une passerelle entre Internet et votre logiciel d'accès.

Windows 95 est livré avec son propre support d'accès à Internet.

Installation de TCP/IP

1 Cliquez sur **Démarrer/Paramètres**, puis sur **Panneau de configuration**.

2 Activez le module **Réseau** du Panneau de configuration.

3 Cliquez sur le bouton **Ajouter** dans la boîte de dialogue.

4 A présent, Windows vous demande le type de composant. Sélectionnez **Carte** même si vous n'en avez pas. En effet, Windows considère également les modems comme des cartes réseau.

5 Sélectionnez **Microsoft** dans la liste des constructeurs, puis choisissez **Carte d'accès distant** (transmission de données à distance).

6 Ajoutez ensuite un protocole.

7 Sélectionnez à nouveau le constructeur **Microsoft**, puis le protocole **TCP/IP**.

8 Contactez de préférence votre provider pour configurer les deux
composants en fonction des caractéristiques de votre accès Internet.

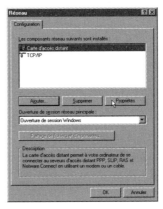

Pour établir le contact avec votre point
d'accès, vous avez besoin d'un script
d'accès à distance. Il s'agit d'une sorte
de "liste de commandes" qui signale à
Windows les étapes nécessaires à l'établissement d'une connexion valide.
Malheureusement, Windows 95 n'installe pas par défaut la gestion de ces
scripts. Vous devez donc y remédier.

Installer l'outil de script de numérotation

1 Affichez de nouveau le Panneau de configuration et sélectionnez le
module **Ajout/Suppression de programmes**.

2 Dans la boîte de dialogue qui est apparue, cliquez sur l'onglet **Installation de Windows**. Activez ensuite le bouton **Disquette fournie**.

3 Insérez le CD-ROM de Windows
95 dans votre lecteur. L'outil de
script de numérotation se trouve dans
le répertoire Admin/ Apptools/Dscript.
Lorsque Windows vous demande le

chemin des fichiers constructeur à copier, saisissez celui-ci (ou cliquez
sur le bouton Parcourir).

4 Windows vous propose d'installer les composants **SLIP et Script
pour un accès réseau à distance**. Cochez la case visible à gauche,
puis cliquez sur le bouton **Installer**.

5 L'outil de script de numérotation est installé sur votre système. Vous
pouvez l'appeler en cliquant Démarrer/Programmes/Accessoires.

Internet

C 12

R 67

6 Prenez contact avec votre provider au sujet du script. Le script suivant est simple, mais fonctionnel :

```
proc main
set screen keyboard on
set port databits 8
set port parity none
set port stopbits 1
halt
endproc
```

L'affichage des saisies clavier sur l'écran est tout d'abord activé. L'interface est ensuite initialisée (8 bits de données, aucune parité, 1 bit d'arrêt - c'est la norme PC). L'instruction **Halt** signifie que Windows 95 doit vous céder le contrôle et patienter jusqu'à ce que vous confirmiez l'établissement de la liaison.

N'oubliez pas de sauvegarder le script sur votre disque dur. Donnez-lui de préférence un nom explicite. La variante de login manuel (c'est-à-dire la saisie manuelle du nom d'utilisateur et du mot de passe) présentée ci-dessus pourrait s'appeler **login.manuel.txt**. Toutefois, le protocole et le script seuls sont insuffisants. Windows doit également savoir à quel endroit établir la connexion.

Définir la connexion

1 Ouvrez la fenêtre **Poste de travail** et activez la fonction **Accès réseau à distance**.

2 Lancez la commande **Nouvelle connexion**.

3 Attribuez à votre connexion un nom approprié et choisissez votre modem (ou votre carte RNIS) dans la liste. Cliquez ensuite sur **Suivant**.

4 Saisissez le numéro de téléphone de votre point d'accès. Veillez à sélectionner l'indicatif national adéquat (sinon Windows 95 composera le 19). Cliquez sur **Suivant**.

5 Windows 95 vous annonce que les paramètres ont été enregistrés et qu'une nouvelle connexion a été créée. Cliquez sur **Terminer**.

A présent, vous touchez au but. Les protocoles nécessaires sont présents, l'accès est installé et le script est rédigé.

Pour finir, vous devez encore associer le script à l'accès réseau à distance - vous devriez en profiter pour adapter les données "serveur" de votre provider.

Associer le script à la connexion

1 Lancez l'outil de script de numérotation en cliquant sur le menu **Démarrer/Programmes/Accessoires**.

2 Sélectionnez la connexion récemment installée dans la boîte de dialogue. Il est essentiel que Windows utilise le bon protocole de réseau lors de votre connexion. Vous devez impérativement vérifier ce paramètre. Pour cela, cliquez sur le bouton **Propriétés**.

3 Les données concernant votre connexion apparaissent une nouvelle fois. En principe, elles devraient être correctes, mais vous ne pouvez consulter les infos Internet proprement dites qu'après avoir cliqué sur le bouton **Type de serveur**.

4 Cette nouvelle boîte de dialogue vous permet de choisir les paramètres concernant le protocole. Déterminez-en les modalités avec votre fournisseur d'accès.

Internet

C 12

R 67

5 Confirmez vos paramètres en cliquant sur **OK**. Vous retournez automatiquement dans la fenêtre principale de l'outil de script de numérotation. Saisissez le nom du script précédemment défini dans le champ *Nom de fichier* (vous pouvez également le rechercher sur votre disque dur à l'aide du bouton **Parcourir**). Affectez-le ensuite à la connexion sélectionnée en cliquant sur le bouton **Appliquer**. Quittez la fenêtre en cliquant sur **Fermer**.

Et voilà ! Windows 95 est configuré pour votre premier saut sur Internet. Cependant, votre connexion n'est pas encore opérationnelle : certes, Windows établirait la communication téléphonique avec votre fournisseur d'accès, mais vous ne seriez pas encore en mesure de l'utiliser. En effet, il vous manque encore le logiciel d'accès.

Étape 4 : installer et configurer le logiciel d'accès

Maintenant que votre système dispose de TCP/IP, le logiciel d'accès Internet proprement dit peut entrer en scène. Comme nous l'avons déjà mentionné, nous nous appuyons dans ce livre sur l'exemple du programme Netscape. Mais bien entendu, vous pouvez utiliser un autre browser, tel que NCSA Mosaic ou le WebExplorer d'IBM.

Installer Netscape

Netscape est disponible chez votre fournisseur d'accès ou dans une boutique informatique. Vous pouvez également vous adresser directement à Netscape France.

1 Comme la plupart des programmes, Netscape est livré sous la forme d'un fichier compacté (parfois intitulé NSCAPE.ZIP). Celui-ci contient tous les fichiers nécessaires au bon fonctionnement du logiciel.

2 Créez un répertoire pour Netscape (C:\INTERNET\NETSCAPE par exemple), dans lequel vous copiez le fichier compressé. Décompactez ensuite ce dernier. Vous pouvez finalement effacer l'archive de votre disque dur (non sans l'avoir préalablement sauvegardée sur disquette).

Configurer Netscape

A présent, le logiciel d'accès est également disponible sur votre système. Vous devez le configurer correctement avant de vous lancer sur le réseau !

Définir les données utilisateur de Netscape

1 Lancez Netscape à l'aide de son icône.

2 Netscape tente aussitôt d'établir la liaison avec le serveur Internet de l'entreprise qui l'a mis au point (Netscape Communications). Cela ne peut pas fonctionner, car vous n'avez pas encore créé la connexion téléphonique avec votre point d'accès Internet. Cliquez sur le bouton **Arrête** pour mettre un terme à cette vaine tentative.

3 Cliquez sur **Options/Préférences de messagerie et de nouvelles**.

4 Cliquez ensuite sur l'onglet **Serveurs** de la boîte de dialogue qui est apparue.

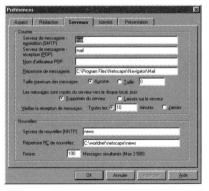

5 Saisissez les données suivantes :
Entrez dans le champ *Serveur de messagerie - expédition* l'adresse Internet du serveur sur lequel Netscape doit stocker les données que vous expédiez sur Internet. Votre fournisseur d'accès vous donnera l'adresse exacte.

6 Activez maintenant l'onglet **Identité**.
Dans *Votre nom*, inscrivez votre nom tel qu'il doit être lu par les autres internautes.
Dans *Votre adresse*, enregistrez l'adresse Internet à laquelle doivent être transmis les courriers électroniques qui vous sont adressés. En temps normal, il s'agit de l'adresse qui vous a été donnée par le provider. Si vous avez un doute, prenez contact avec lui.

7 Si votre fournisseur d'accès vous propose un accès à des "proxies-servers", vous devriez en profiter pour les inscrire dans les champs adéquats. Pour cela, activez la commande **Préférences du réseau** puis sélectionnez l'onglet **Proxy**.

Remarque

Un "proxy" est un serveur, exploité par un prestataire Internet, qui peut sauvegarder temporairement plusieurs pages du World Wide Web. Lorsqu'un abonné veut consulter ces pages, il peut les télécharger directement, sans perdre son temps à les rechercher sur Internet. Cela permet d'accélérer considérablement l'accès aux pages Web les plus demandées.

Maintenant que Netscape est installé sur votre système, vous pouvez voyager sur le réseau mondial.

Vous trouverez d'autres conseils sur la personnalisation de vos logiciels plus loin dans ce livre (peut-être ne connaîtrez-vous vos besoins réels qu'après avoir passé un certain temps sur le réseau).

68 Etre enfin "online" - en route pour le réseau !

Votre ordinateur dispose à présent d'une liaison Internet pleinement opérationnelle, assortie d'un logiciel d'accès agréable - plus rien ne vous retient !

Pénétrez sur Internet

Pour surfer sur les lames de fond d'Internet, rendez-vous en premier lieu sur le serveur de votre fournisseur d'accès.

A partir de là vous êtes libre de voyager où bon vous semble et, pourquoi pas, de faire le tour du monde.

En principe, c'est un jeu d'enfant - cela fonctionne comme suit :

1 Etablissez une connexion téléphonique avec le point d'accès Internet de votre fournisseur d'accès.

2 Vous devez ensuite vous identifier - un peu comme le membre d'une société secrète qui doit donner son nom ainsi qu'un mot de passe à l'entrée de la salle de réunion, et auquel on n'ouvrira la porte que si ces indications sont exactes.

3 Dès que l'accès est libre, activez le protocole TCP/IP présent sur votre système (que vous aurez préalablement installé selon les procédures décrites dans les paragraphes précédents). C'est lui qui assurera désormais le reste de la communication avec le serveur Internet - et vous voilà enfin "dans la place".

4 Vous pouvez maintenant lancer le véritable logiciel pour votre aventure Internet (Netscape en l'occurrence).

Internet

C 12

R 68

> **Remarque**
>
> Votre fournisseur d'accès doit absolument vous donner le nom d'utilisateur et le mot de passe adéquats, sans quoi vous ne pourrez pas accéder à son serveur Internet !
> Si vous avez un doute à ce sujet, vous devriez le recontacter, car la moindre erreur de libellé empêche toute connexion.
>
> *Protégez le mot de passe !*
> Mettez ces données en lieu sûr et protégez-les (surtout le mot de passe) des regards indiscrets. Une personne munie de votre code et de votre mot de passe peut se faire passer pour vous sur Internet, sans que personne ne s'en aperçoive ! C'est la raison pour laquelle vous devriez prendre ici des mesures de sécurité analogues à celles qui entourent le code secret de votre carte bancaire.

Appeler le serveur Internet

1 Double-cliquez sur l'icône **Poste de travail** de votre bureau Windows, puis sur **Accès réseau à distance**.

2 Vous apercevez à présent la connexion, destinée à votre point d'accès, dans la fenêtre qui est apparue. Double-cliquez sur son icône pour l'activer.

3 Dès que vous cliquez sur le bouton **Se connecter**, Windows 95 lance automatiquement le processus de connexion avec votre fournisseur d'accès.

Windows 95 a maintenant établi la connexion (espérons-le) avec le serveur de votre fournisseur d'accès. Le script de connexion s'exécute à présent dans une petite fenêtre.

Si vous avez utilisé le "script minimal" de login manuel, vous devez vous identifier manuellement auprès du serveur Internet, puis activer le protocole TCP/IP.

S'identifier sur Internet et activer TCP/IP

1 Vous apercevez tous les messages de l'ordinateur distant dans la fenêtre de terminal. Un login doit être saisi. Cela signifie que vous devez communiquer votre nom d'utilisateur, afin que le serveur puisse vérifier si vous êtes bien un abonné du service. Inscrivez le login fourni par votre provider, puis pressez la touche **Entrée**.

2 Le serveur vous demande à présent votre mot de passe. Inscrivez-le et appuyez sur **Entrée**. Ne soyez pas surpris si, à cette occasion, votre mot de passe reste invisible ou s'il est remplacé par des astérisques. C'est une simple mesure de sécurité qui empêche d'éventuels regards indiscrets de se poser sur votre mot de passe.

3 Le serveur Internet vérifie votre identité. Si vos indications le satisfont, il vous souhaite la bienvenue sur Internet avant de passer en mode TCP/IP. Vous voyez alors apparaître une suite de signes incompréhensibles. Cliquez rapidement sur le bouton **Continue**, afin que Windows 95 puisse assurer la poursuite de la communication avec le serveur Internet.

4 Windows 95 communique désormais avec le serveur de votre fournisseur d'accès et il établit une connexion Internet.

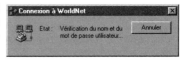

5 Windows 95 exige parfois une nouvelle identification.

Internet

C 12

R 68

Remarque

Cette identification ne renvoie pas au serveur Internet, mais à votre propre PC (s'il est configuré pour plusieurs utilisateurs, vous devrez également inscrire vos nom et mot de passe au démarrage du système). Saisissez donc votre nom d'utilisateur ainsi que votre mot de passe Windows, puis cliquez sur **OK**.

6 Windows 95 ouvre ensuite la connexion Internet.

La connexion Internet est établie et TCP/IP est activé. L'application Internet proprement dite peut maintenant entrer en scène.

Lancer les applications Internet

1 Ouvrez la fenêtre **Poste de travail** et activez le lecteur sur lequel vous avez installé Netscape.

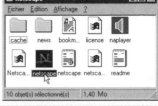

2 Placez-vous ensuite sur le dossier renfermant Netscape, puis double-cliquez sur l'icône Netscape.

3 La fenêtre Netscape apparaît immédiatement sur l'écran. Le programme reconnaît automatiquement TCP/IP (par lequel doivent transiter toutes les communications Internet).

Voilà, vous êtes sur Internet !

A présent, Netscape télécharge automatiquement les informations Internet provenant de la société mère vers votre ordinateur.

Vous pouvez interrompre à tout moment cette opération en appuyant sur le bouton **Stop**, pour commencer votre ballade sur Internet.

Si vous désirez quitter Internet...

Tout a une fin, même la plus belle session sur Internet.

Pour partir du réseau global, vous devez quitter l'application qui est à l'écran, sans oublier de désactiver le protocole TCP/IP (qui fonctionne en tâche de fond) et d'interrompre la communication téléphonique (votre porte-monnaie vous en sera reconnaissant).

Remarque

N'oubliez jamais que vous restez online -
en communication téléphonique avec votre point d'accès - pendant toute la durée d'utilisation, c'est-à-dire tant que vous n'avez pas quitté Internet en respectant les instructions suivantes. Bien entendu, cela vous est facturé. Par conséquent, si vous oubliez d'interrompre la communication, cette "pause" pourrait vous coûter très cher.

1 Basculez dans la fenêtre de l'accès réseau à distance (en cliquant par  exemple sur le bouton adéquat dans la barre des tâches).

2 Cliquez sur le bouton **Déconnecter**. Cela interrompt la communication tout en désactivant le protocole TCP/IP.

Internet

C 12

R 68

Travailler "Offline"

Vous êtes à présent "offline", ce qui signifie que vous n'êtes pas en communication avec votre point d'accès, que vous n'êtes plus sur Internet.

Le compteur téléphonique a cessé de tourner et vous pouvez de nouveau utiliser votre système comme à l'ordinaire - ainsi que Netscape, s'il est encore en service.

Remarque

Lire les pages Web sans frais de téléphone

Certes, Netscape n'est plus en communication avec Internet (TCP/IP étant désactivé). Mais excepté cela, il dispose encore de toutes ses fonctions. Et comme les pages affichées au cours de votre session Internet ont été sauvegardées dans la mémoire interne du logiciel, vous pouvez les relire tranquillement et en tirer le meilleur parti sans vous soucier de votre facture téléphonique.

Windows 95 - OSR2

Outre les versions commerciales, Windows 95 est également disponible sous forme de version OEM. Ces versions ne sont livrées que lors de l'acquisition d'un nouvel ordinateur et sont donc spécifiquement adaptées au matériel du constructeur, contiennent des logiciels spécifiques, et parfois de modules spéciaux (par exemple chez Compaq) qui permettent de modifier la configuration pour revenir à la configuration de base. Windows 95 lui-même est fourni sous différentes versions, suivant l'adage affirmant que tout peut être amélioré. Il en résulte que plusieurs versions de Windows 95 sont en circulation et, bien que présentant un aspect presque identique, disposent de différences sensibles. Avant de présenter les différences entre les versions, il faut d'abord vous montrer comment déterminer facilement celle dont vous disposez. En connaissant le numéro de votre version, vous pourrez facilement déterminer les extensions auxquelles vous avez accès, et lesquelles vous font défaut.

69 Identifier le numéro de version

Comme tous les logiciels du commerce, Windows 95 est identifié par un numéro de version unique, composé d'un numéro principal, d'un numéro de sous-version et d'un numéro de révision. Le numéro principal et le numéro de sous-version caractérisent un programme, le numéro de révision indiquant le nombre de compilations réalisées pour un logiciel et donne ainsi une indication sur le cycle de développement d'un programme. Le numéro interne de version est contrôlé par le programme d'installation, pour éviter des conflits entre différents programmes et composants.

La première version officielle de Windows 95 a été fournie en version bêta sous le numéro 4.0. Il a fallu 950 compilations pour aboutir à la version finale. Ce numéro interne, c'est-à-dire le 4.00.950, a été conservé, malgré le changement de nom de Windows 4.0 en Windows 95.

Lors des développements ultérieurs de Windows 95, Microsoft s'est demandé comment étendre le numéro de version interne pour identifier le logiciel. Windows 95 a été développé pour s'adapter au matériel actuel, mais Microsoft n'a pas souhaité distribuer de mise à jour officielle, pour des raisons de coût. Le numéro de version officiel de Windows a donc été maintenu, et complété par une lettre. Les versions 4.00.950 A et 4.00.950 B sont donc apparues sur le marché, en plus de la version d'origine 4.00.950.

1 Pour identifier la version de Windows 95 qui est installée sur votre ordinateur, appelez d'abord le Panneau de configuration par **Démarrer/Paramètres/Panneau de configuration**.

2 Faites un double clic sur le module *Système* pour ouvrir une boîte de dialogue de même nom et vous donnant accès aux composants du système.

3 L'onglet **Général** affiche, dans la rubrique *Système*, le numéro de version que vous cherchez (dans le cas de l'illustration ci-contre, il s'agit de la version B). Les données contiennent également le numéro d'inscription. S'il s'agit d'une version OEM, le numéro d'inscription contient les lettres OEM. Cliquez sur le bouton OK pour refermer cette boîte de dialogue.

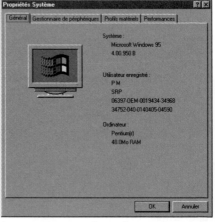

Vous pouvez avoir certains doutes concernant la pertinence du numéro d'identification en observant le numéro de version interne. Les modifications ne sont en effet possibles que si une compilation est effectuée, ce qui incrémente le numéro de version. En fait, le numéro interne de version ne correspond pas à la désignation officielle. La clé qui donne accès au véritable numéro de version est une fonction API nommée *GetVersionEx*, qui renvoie le numéro principal, le numéro de sous-version, le numéro de révision, une identification de la plate-forme ainsi qu'une information complémentaire, sous forme d'une chaîne de caractères. La version B porte en interne le numéro 4.00.1111, l'identification B étant contenue dans la chaîne de caractères supplémentaire. Windows 95 peut ainsi modifier le numéro de révision pour le ramener à 950. C'est ainsi que Windows présente ce numéro pour la version B.

Internet Explorer 4.0 est entre-temps également en phase bêta officielle. Vous pouvez obtenir ce logiciel par Internet, ainsi que sur différents CD-ROM contenus dans des périodiques spécialisés. Ce programme présente déjà l'aspect de la version de Windows qui succédera à Windows 95. Pour reconnaître ultérieurement la nouvelle version de Windows d'une version de Windows mise à jour avec Internet Explorer 4.0, il suffira d'afficher la boîte de dialogue des propriétés du système, comme indiqué ci-dessus. Outre la version de Windows, une indication concernant Internet Explorer 4.0 sera affichée, sous la forme IE 4.0..., si ce programme est installé.

Version A...

Les principales améliorations des versions OEM concernent naturellement le matériel et incluent des corrections apportées aux DLL du système d'exploitation. Les nouveaux pilotes font déjà partie intégrante de la version de Windows 95. Ne vous faites cependant pas de souci, si vous faites l'acquisition de nouveaux matériels, indépendamment d'un ordinateur. Vous obtiendrez simultanément la version correspondante des pilotes de Windows 95. Ceci explique qu'un nouvel ordinateur fonctionne sans problème avec la version OEM, mais puisse présenter des défauts de fonctionnement avec la version d'origine, et que sa configuration puisse demander un travail d'adaptation plus ou moins important. Si vous disposez de plusieurs ordinateurs, veillez à utiliser la version de Windows 95 avec laquelle ils ont été installés. Les versions OEM sont exclusivement destinées à l'installation d'origine de l'ordinateur, et ne sont pas adaptés à une mise à jour d'une version précédente de Windows 95. Si votre ordinateur fonctionne sans problème avec la version d'origine de Windows 95, il est rarement intéressant de procéder à une mise à jour complète, d'autant que la plupart des composants complémentaires peuvent être obtenus sur Internet. Les nouveaux composants comme ActiveMovie, qui sera présenté plus loin, et qui permettent de faciliter le développement de programmes d'application, ne doivent pas être acquis spécialement, car ils sont installés automat-

Windows 95 - OSR2

C 13

R 60

iquement lors de l'installation des programmes qui utilisent ces extensions du système d'exploitation. Votre ordinateur est alors mis à jour lors de l'installation de ces programmes. Remarquez cependant que l'installation ultérieure de ces composants ne modifie pas le numéro interne de version de Windows, sauf dans le cas du Service Pack 1.

ActiveMovie : à côté des mises à jour et des extensions des pilotes matériels, l'intégration d'ActiveMovie est l'extension la plus importante de la version A.
ActiveMovie est une technologie vidéo numérique indépendante des plates-formes, qui permet de réaliser des séquences synchronisées vidéo et audio, incluant des effets spéciaux pour les ordinateurs et Internet. ActiveMovie est un utilitaire destiné à la restitution multimédia (séquences MPEG, QuickTime et AVI), et de fichiers son au format WAV, incluant une interface de programmation permettant l'intégration de séquences ActiveMovie dans vos propres programmes. Cette interface de programmation se base sur le modèle COM (Component Object Model) et peut être facilement intégrée à l'aide d'ActiveMovie dans un environnement graphique de programmation. Les séquences ActiveMovie peuvent être enregistrées sur votre ordinateur local, ou sur un serveur Web. ActiveMovie est donc déjà prêt pour Internet.

Il faut cependant remarquer que tous les programmes qui se trouvent sur votre ordinateur ne font pas nécessairement partie de la version OEM de Windows 95. Les programmes relatifs à votre modem intégré ou à une carte RNIS ne sont généralement pas des composants de Windows 95, mais font partie de la fourniture de ces composants matériels spécifiques et sont installés généralement par le constructeur, en plus du système d'exploitation Windows 95.

> **Remarque**
>
> Version A par le Service Pack 1.
>
> Lors de l'installation du Service Pack 1, le numéro de version interne de Windows 95 est modifié en 4.00.950 A. Remarquez que ActiveMovie n'est pas contenu dans toutes les versions A, ni dans le Service Pack 1.

Version B...

La version Windows 95 OEM Service Release 2, désignée en abrégée par OSR2 est une version spéciale de Windows 95 qui n'est distribuée que conjointement avec un nouvel ordinateur, et porte le numéro interne de version 4.00.950 B. OSR2 est conçu comme un système d'exploitation destiné à un nouvel ordinateur et donc prévu pour être chargé sur un disque dur qui vient d'être formaté. Il ne contient donc aucune fonction de mise à jour d'un système d'exploitation existant, comme Windows 95 ou DOS. La version OSR2 ne contient donc aucune fonction de type Dual Boot.

La version OSR2 est installée par la plupart des constructeurs d'ordinateurs, généralement avec des logiciels associés, ce qui vous permet de ne pas vous occuper de l'installation de votre ordinateur. Certaines des nouveautés les plus intéressantes de la version OSR2 sont cachées derrière l'interface utilisateur et ne sont pas visibles à première vue. Elles ne sont pas moins importantes, comme vous allez le voir ci-après.

La version B est une version de Windows 95 qui supporte de manière optimale les matériels actuels, et qui réduit les différences qui existaient jusqu'à présent entre Windows 95 et Windows NT 4.0. Elle contient en particulier le programme de traitement d'images *Imaging* et la bibliothèque graphique *OpenGL*, ainsi que plusieurs écrans de veille, mais également le client Windows NT 4.0 Messaging Client, ainsi que des fonctions de cryptographie intégrées dans le système. La version B inclut également ActiveMovie, qui n'était pas contenu dans la version A. D'autres extensions importantes de la version B de Windows 95 sont rassemblées et décrites ci-après.

Windows 95 - OSR2

C 13

R 69

Meilleur support matériel : la version B contient de nouveaux pilotes mis à jour, par exemple pour l'imprimante HP Laserjet 4 et les cartes PCMCIA, ainsi qu'un support réseau amélioré. Si vous travaillez avec la version d'origine de Windows 95 et que vous faites l'acquisition de nouveaux périphériques, la dernière version du pilote Windows 95 est fournie simultanément. Si vous disposez de matériels et que vous souhaitez acquérir la dernière version du pilote, vous la trouverez en général par les services en ligne, ou sur Internet.

Intégration du pack Plus! : certains composants du pack Plus!, qui était fourni comme un ensemble logiciel séparé, sont maintenant intégrés dans le système d'exploitation. La version B contient ainsi des sons supplémentaires, le programme de compression de lecteurs *Drive Space3*, ainsi que l'agent de compression. Ce dernier ne fonctionne cependant que si le pack Plus! est installé. Différentes améliorations ont été apportées à certaines boîtes de dialogue du Panneau de configuration.

Fat32 : le système de fichiers FAT (FAT = File Allocation Table = Table d'allocation de fichiers), qui avait été initialement développé pour le DOS, a été étendu dans la version B de manière à permettre la gestion de grands disques durs. Les programmes utilitaires FDISK, Format, ScanDisk et Defrag ont été adaptés en conséquence. Le nouveau système de fichiers FAT32 permet maintenant de gérer et lecteurs d'une capacité supérieure à 2 Go. La taille maximale d'un fichier est désormais proche de 4 Go.

Une table d'allocation de fichiers enregistre des informations sur la localisation des fichiers sur un lecteur. Un fichier peut ainsi être fragmenté en plusieurs morceaux sur un disque dur. Les applications Win32 fonctionnent généralement de manière correcte avec le nouveau système de fichiers, dans la mesure où ils n'accèdent pas directement à la structure de l'ancien système de fichiers FAT, et où ils n'utilisent pas des fonctions API qui font directement référence au système de fichiers FAT. Les applications DOS peuvent également accéder au système de fichiers FAT32, grâce à une API-DOS étendue (Application Programming Interface = Interface de programmation), et utiliser les nouvelles caractéristiques. Nous y reviendrons plus loin. L'utilisateur ne peut pratiquement pas se rendre compte qu'il utilise un nouveau système de fichiers. Ce n'est que pour la programmation qu'il faut s'habituer à une interface de programmation étendue et modifiée.

CryptoAPI : il s'agit d'une interface de programmation spéciale qui permet de coder les informations à l'intérieur du système. Les fonctions API font appel à un ou plusieurs CSP (CSP = Cryptografic Service Provider = Fournisseur de services de cryptage), qui contiennent des bases de données spéciales contenant des clés de codage des données. Windows 95 ne fournit que l'interface de programmation, ainsi qu'un CSP standard, mais pas de programmes de codage des données.

Les technologies Microsoft pour Internet font partie intégrante du système d'exploitation

Internet : pour ce qui concerne Internet, les composants Internet Mail, Internet News, Microsoft NetMetting ainsi qu'Internet Explorer 3.0 et l'interface de programmation WinInet ont été intégrés en standard dans le système d'exploitation. Avec l'API WinInet, Microsoft met à votre disposition une interface de programmation qui vous permet d'accéder à Internet ainsi que de développer des applications clients Internet. Les principaux protocoles d'Internet sont intégrés dans des fonctions API orientées tâche. Outre FTP, Gopher et HTTP sont supportés.

FTP (File Transfer Protocol = Protocole de transfert de fichiers) permet d'échanger des fichiers entre un serveur Internet et un utilisateur. Grâce à ce protocole, il est possible en outre, sous réserve de disposer des droits d'accès adéquats, d'accéder aux opérations élémentaires sur les fichiers du serveur, comme le changement de dossier ou l'affichage de leur contenu. Gopher cache un service de recherche de fichiers sur Internet. Les serveurs Internet qui supportent Gopher aident ainsi à trouver des fichiers et des données. HTTP (HyperText Transfer Protocol = Protocole de transfert hypertexte) gère la communication entre un serveur Web et un Browser Web pour une session de travail WWW (WWW = Word Wide Web). L'adresse Internet permet de savoir s'il s'agit d'une page Web (http:\\...) ou de fichiers (ftp...). HTTP comporte des fonctions d'authentification (Authentication Functions) permettant l'accès aux données sur

Windows 95 - OSR2

C 13

R 69

Internet. Du fait de l'intégration des protocoles Internet par les fonctions API, vous n'avez plus besoin de vous préoccuper du protocole de transfert Internet TCP/IP, ni des fonctions de socket de Windows. Toutes les fonctionnalités sont désormais contenus dans une seule bibliothèque dynamique portant le nom de Wininet.dll.

Les services d'Internet Mail vous permettent de vous connecter sous Windows 95, à l'aide d'Exchange, directement à un serveur POP3 (Postoffice Protocol Version 3) ou SMTP (Simple Messaging Transport Protocol) pour échanger des messages électroniques (e-mail). Les fichiers binaires contenant des vidéo, des images et des sons peuvent ainsi être attachés à l'aide du support MIME (Multipurpose Internet Mail Extensions). Les services d'Internet Mail utilisent automatiquement le codage standard UUENCODE pour transmettre des données binaires entre des utilisateurs Internet et une messagerie Unix. Internet News est un composant qui facilite l'échange de messages électroniques, ainsi que l'accès aux nouvelles des newsgroups. Vous pouvez obtenir les composants Internet Mail et Internet News directement auprès de Microsoft, à l'adresse Internet http://www.microsoft.com/ie/. Ces composants peuvent également être installés sous la version d'origine de Windows 95.

Le logiciel de conférence NetMeeting permet à deux utilisateurs ou plus de tenir une conférence sur Internet ou sur Intranet avec une communication en temps réel du son et des données. Au cours d'une conférence, des données peuvent être transmises entre les différents PC, et des programmes peuvent être partagés de manière à être visibles par les différents participants à la conférence, et que ceux-ci puissent les piloter, sans que les programmes doivent être installés spécifiquement chez chacun d'entre eux. Le contenu du Presse-papiers peut ainsi également être partagé. Le composant NetMeeting est disponible gratuitement sur Internet (vous obtiendrez des informations à l'adresse http://www.microsoft.com/netmeeting/), et est installé également lors de l'installation complète d'Internet Explorer 3.0.

OpenGL : il s'agit d'une bibliothèque graphique qui permet de programmer et d'animer des images 3D en couleurs. Les fonctions d'OpenGL sont présentées à l'aide d'écrans de veille intégrés dans le système d'exploitation Windows 95.

Extensions multimédia : la version B de Windows 95 comporte les composants DirectX 2.0 et ActiveMovie comme extensions multimédia. ActiveMovie a déjà été présenté avec la version A. Grâce à la technologie DirectX intégrée dans le système, des jeux devraient apparaître à terme sous Windows 95. DirectX est une bibliothèque de fonctions spéciales pour la programmation d'applications multimédia et de jeux. DirectX 2 contient les composants DirectDraw, DirectSound et et DirectPlay.

Intégration des services en ligne : la version B comporte désormais les logiciels d'accès aux services en ligne AOL et CompuServe.

Le logiciel d'accès à MSN a également été mis à jour en version 1.3. Remarquez cependant que les logiciels d'accès aux services en ligne et à Internet (par exemple Internet Explorer) sont soumis à un développement rapide et deviennent donc rapidement obsolètes. Les logiciels intégrés dans le système d'exploitation sont ainsi bien adaptés à un premier contact avec un prestataire de services en ligne ou avec un prestataire d'accès à Internet, mais devraient rapidement être remplacés par une version plus récente du logiciel.

Un mot encore concernant les versions bêta des différents Browser Internet (par exemple Netscape, Internet Explorer, etc.) : tant qu'un Browser se trouve en version bêta, il ne faut pas exclure des problèmes avec le système d'exploitation ou les logiciels de certains prestataires de services en ligne. Si vous voulez éviter ce type de problème, il faut vous résoudre à vous passer des versions bêta.

Gestion d'énergie étendue : la version B de Windows 95 gère le mode APM 1.2 (APM = Advanced Power Management). Une nouveauté importante : si un modem est installé, l'ordinateur peut automatiquement être rétabli en état actif par un appel entrant. Un module spécifique du Panneau de configuration est disponible pour réaliser les réglages nécessaires pour le mode APM.

Mail : le logiciel NT Messaging System Client a été repris pour apporter une amélioration des fonctionnalités de la messagerie à Windows 95.

Windows 95 - OSR2

C 13

R 69

L'une des conséquences est qu'il est nécessaire de disposer d'au moins 8 Mo de mémoire lors de l'émission de courrier électronique.

Imaging : le programme Imaging de retouches d'images, présent déjà sous Windows NT 4.0, qui permet la numérisation d'images grâce au support de la norme TWAIN32 et qui peut également être utilisé pour visualiser des télécopies, a également été intégré à Windows 95.

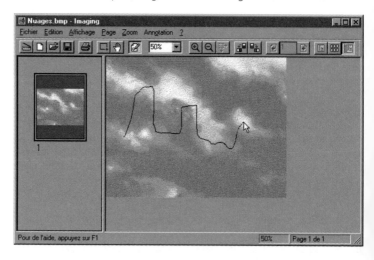

Optimisations diverses : différentes adaptations ont été réalisées au paramétrage des fuseaux horaires. Vous pouvez mettre à jour vous-même des fuseaux horaires grâce au programme Tzedit.exe qui se trouve sur le CD-ROM de la version B, dans le dossier Admin\Apptools\Tzedit. L'interface de gestion des profils matériels a également été mise à jour.

Remarque

OSR2.1, le supplément USB de la version OSR
La version spéciale OSR2.1 est une version étendue d'OSR2, qui supporte le nouveau bus USB (Universal Serial Bus). Le numéro de version est identique à celui de la version OSR2. Seul le module USB Supplement to OSR2 est géré comme un composant spécial par le module **Ajout/Suppression de programmes du Panneau de configuration**.

Il faut remarquer que tous les composants décrits ci-dessus ne sont pas contenus dans toutes les versions B. Les composants livrés dépendent de ceux qui étaient disponibles en version finale lors de la diffusion de la version en question.

FAT32

Le système de fichiers FAT32 de la version B de Windows 95 est dérivé du système de fichiers FAT des anciennes versions du DOS et supporte des lecteurs d'une capacité supérieure à 2 Go ainsi que des partitions d'une taille allant jusqu'à 2.047 Go. La taille maximale d'un fichier sous le système FAT32 est de 4 Go moins 2 octets. Les applications Win32 peuvent accéder directement à ces fichiers. Il faut utiliser les fonctions étendues de l'interruption DOS 21Hex pour accéder à ces fichiers à partir de tous les autres programmes.

Un grand nombre de changements résultent du nouveau système de fichiers, pour ce qui concerne la gestion des informations des lecteurs. En particulier, un nombre d'octets plus important que dans la version précédente du système de fichiers FAT sont réservés dans la table d'allocation de fichiers, en règle générale 32 octets.

Le secteur de démarrage (secteur de boot) a également été modifié. Le BPB (BIOS Parameter Block) a été agrandi par rapport au système de fichiers FAT16, ainsi que le Boot Record, dont le nombre de secteurs a été augmenté d'une unité. En outre, des informations relatives au cluster le plus fréquemment lu sur un lecteur ainsi que le nombre de clusters libres sont enregistrés dans une zone réservée du secteur de boot FAT32

Un cluster, c'est-à-dire un ou plusieurs secteurs consécutifs (dépendant du format du lecteur, suivant le tableau ci-dessous), est la plus petite unité adressable d'un lecteur, c'est-à-dire la zone dans laquelle les fichiers et les dossiers sont enregistrés. Ceci explique d'ailleurs que la place occupée par un fichier sur un lecteur est toujours un multiple de la taille d'un cluster.

Windows 95 - OSR2

C 13

R 69

Grâce au BPB, le système d'exploitation prend connaissance d'informations relatives au lecteur, sans devoir lire l'ensemble de la table d'allocation de fichiers.

Système de fichiers	Nombre de clusters	Octets par cluster
FAT12	<4087	1,5
FAT16	4087 - 65526	2
FAT32	>65526	4

Contrairement aux systèmes de fichiers FAT12 et FAT16, le dossier racine n'est plus placé à un endroit fixe du lecteur. Le numéro de cluster tient compte de la position de début du dossier racine, qui est également enregistrée dans le BIOS Parameter Block. L'une des conséquences est que le nombre d'entrées dans le dossier racine n'est plus limité à un nombre fixe. Le système de fichiers FAT32 ne limite donc plus le nombre de fichiers qui pouvaient être contenus dans le dossier racine des anciens systèmes de fichiers.

Du fait de la modification de la taille des entrées de la table d'allocation de fichiers, le nombre de secteurs par entrée de FAT peut également être utilisé pour la gestion des grands fichiers, bien qu'il continue à être géré pour les petits fichiers, pour des raisons de compatibilité. Le nombre de secteurs est enregistré en outre dans le BPB. Les programmes qui veulent tirer parti des nouvelles caractéristiques du système de fichiers doivent tenir compte des nouvelles valeurs contenues dans le BPB.

Chaque système de fichiers FAT peut contenir plusieurs copies de la table d'allocation de fichiers. En cas d'erreur, la première copie de la FAT peut être lue. Dans le cas des systèmes de fichiers FAT12 et FAT16, la première table d'allocation est également la première copie.

Toutes les modifications apportées à la table d'allocation sont automatiquement transcrites sur toutes les copies. Dans le cas du système de fichiers FAT32, il est possible de sélectionner la copie de la FAT pour la mise à jour automatique. En outre, chaque copie de la table peut devenir la FAT active ou primaire.

Les caractéristiques de la mise à jour automatique sont enregistrées dans le DPB (FAT32 Drive Parameter Block).

Quels sont les avantages ? Si un ou plusieurs secteurs présentent des défauts sur un lecteur de disque de grande capacité, la FAT correspondante en défaut peut être désactivée, une nouvelle FAT créée dans une table d'allocation désactivée, puis cette FAT activée. Il est ainsi possible de continuer à utiliser le lecteur.

Adaptation des API sous DOS et Windows

Les modifications opérées dans le système de fichiers impliquent des changements plus ou moins importants dans les routines des API, qui permettent d'accéder au système de fichiers. Le File Control Block et les fonctions *open* (ouvrir) et *create* (créer) ne peuvent désormais plus être utilisées que pour affecter un nom de volume (Volume Label). Toutes les autres fonctions FCB (lecture d'une entrée de fichier, changement de nom et effacement) peuvent continuer à être utilisées. Les applications 16 bits Windows et DOS ne peuvent accéder (ouvrir, créer et écrire) aux fichiers gérés par le système de fichier FAT32, de taille supérieure à 2 Go plus 1 octet, que si elles utilisent les nouvelles fonctions de l'interruption DOS 21hex.

Il faut remarquer que la fonction API *GetDiskFreeSpace* renvoie des valeurs erronées concernant la capacité libre et la capacité totale d'un lecteur, dans la version OSR2. Pour obtenir des valeurs correctes, les applications Win32 doivent utiliser la fonction API *GetDiskFreespaceEx*.

Quelques fonctions système DOS ont également été modifiées ou remplacées. Les programmes DOS qui lisent le DPB (Drive Parameter Block) ou qui tentent de lire ou d'écrire en accès absolu sur un lecteur FAT32, se terminent par un blocage de l'ordinateur ou par un message d'erreur.

Lors de l'acquisition d'un nouveau matériel, vous pourrez profiter de nombreuses modifications que la grande masse des utilisateurs ne pourra obtenir que lors de la diffusion de la prochaine version de Windows.

Si vous n'achetez pas de nouvel ordinateur d'ici la parution officielle de Windows 97, pas de problème : si nécessaire, les programmes d'appli-

Windows 95 - OSR2

C 13

R 69

cation qui en ont besoin sont livrés avec les DLL correspondantes contenant les fonctions spéciales nécessaires (par exemple WinInet ou DirectX).

Les programmes actuels qui utilisent des fonctions spéciales OSR2 n'y accèdent que si la version du système d'exploitation de l'utilisateur le permet. La compatibilité avec les versions précédentes de Windows 95 est ainsi assurée.

Il faut cependant vous rendre attentif au fait que l'utilisation d'utilitaires de disques durs qui accèdent directement aux tables d'allocation ou au BPB présente des risques certains. N'utilisez ces programmes que si leur développeur vous garantit la compatibilité avec le nouveau système de fichier. Si vous ne tenez pas compte de cette mise en garde, vous risquez de provoquer des erreurs et de perdre des données.

À quand la version C ?

La question de savoir si une nouvelle version OEM ou une mise à jour officielle sera disponible vient naturellement à l'esprit. Internet Explorer 4.0 est en version bêta, ainsi que la version qui succédera à Windows 95. On s'attend à une nouvelle version de Windows pour le début de 1998, mais son nom n'est pas encore connu. Il ne faut donc plus compter sur des mises à jour limitées. Tout ce qui concerne les développements intéressants qui seraient réalisés entre-temps pourra être obtenu auprès de Microsoft, sur Internet. Les développements concernant en particulier le domaine des loisirs et le support des jeux seront contenus en tant que de besoin dans les applications correspondantes. Si vous voulez avoir un avant-goût de l'aspect de la nouvelle version de Windows, tournez-vous vers Internet Explorer 4.0, qui n'est pas seulement un Browser Internet, mais qui réalise la mise à jour de l'aspect de Windows 95, ainsi que des fonctions de messagerie électronique.

Et la version CE ?

La version CE de Windows 95 est une version spécifique pour les HPC-Computer (Handheld Pocket Computer), qui offre, outre les fonctions habituelles du système d'exploitation Windows 95, un échange de données simple entre un ordinateur de poche et un PC de bureau. L'une des tâches les plus importantes de la version CE consiste à exploiter au

mieux l'ordinateur en utilisant le moins de courant possible. Les proces-
seurs des HPC (MIPS R4000, Hitachi SH3 ou Intel x86) disposent ainsi de
trois modes de fonctionnement, c'est-à-dire *Full Speed* (vitesse maximale
pour l'exécution des programmes), *Standby* (mode d'attente, qui consomme moins de 1/10 de la puissance nominale) et *Suspend* (mode de
veille, qui consomme moins de 1/1000 de la puissance).

Contrairement aux autres versions de Windows 95, la version CE est
stockée en ROM (au moins 4 Mo), et n'a donc pas besoin d'être installée.
Cela signifie également qu'il n'est pas possible de procéder à une mise à
jour du système d'exploitation sans changer de ROM. Les programmes
sont exécutés et les données enregistrées dans la RAM des HPC (capacité
standard < 2 Mo). Pour des raisons évidentes de place, les HPC ne
contiennent pas de lecteur de disque. Pour permettre la connexion de
périphériques aux HPC (par exemple pour la sauvegarde), ou pour les
connecter à un poste de travail, ceux-ci sont équipés d'une liaison série.
Ils ne comportent pas non plus de souris, de clavier standard, ni de
variantes d'écrans. Ils sont cependant équipés en standard pour la lecture
des fichiers sons, mais pas pour leur enregistrement.

Les différences au niveau du matériel et la limitation de la place mémoire
ont également des conséquences sur le système d'exploitation. Si les
utilisateurs d'une version CE souhaitent utiliser Windows 95 sur leur
ordinateur, les programmeurs de la version CE devront s'habituer à une
version spéciale de l'API Win32. Pour faciliter la création de programme
spéciaux pour la version CE, vous pouvez vous procurer auprès de
Microsoft une version d'émulation CE fonctionnant sur votre ordinateur
de bureau.

Windows 95 - OSR2

C 13

R 69

Référence rapide pour gens pressés

Ce dernier chapitre fait référence à l'ensemble du présent livre.

Il est scindé en deux sous-parties :

➤ "Problèmes et solutions" concerne les ennuis rencontrés le plus fréquemment sous Windows 95 et propose des solutions.

➤ Le tableau des raccourcis clavier les plus utiles.

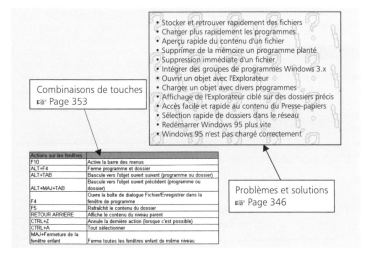

Combinaisons de touches
☞ Page 353

* Stocker et retrouver rapidement des fichiers
* Charger plus rapidement les programmes
* Aperçu rapide du contenu d'un fichier
* Supprimer de la mémoire un programme planté
* Suppression immédiate d'un fichier
* Intégrer des groupes de programmes Windows 3.x
* Ouvrir un objet avec l'Explorateur
* Charger un objet avec divers programmes
* Affichage de l'Explorateur ciblé sur des dossiers précis
* Accès facile et rapide au contenu du Presse-papiers
* Sélection rapide de dossiers dans le réseau
* Redémarrer Windows 95 plus vite
* Windows 95 n'est pas chargé correctement

Problèmes et solutions
☞ Page 346

Actions sur les fenêtres	
F10	Active la barre des menus
ALT+F4	Ferme programme et dossier
ALT+TAB	Bascule vers l'objet ouvert suivant (programme ou dossier)
ALT+MAJ+TAB	Bascule vers l'objet ouvert précédent (programme ou dossier)
F4	Ouvre la boîte de dialogue Fichier/Enregistrer dans la fenêtre de programme
F5	Rafraîchit le contenu du dossier
RETOUR ARRIERE	Affiche le contenu du niveau parent
CTRL+Z	Annule la dernière action (lorsque c'est possible)
CTRL+A	Tout sélectionner
MAJ+Fermeture de la fenêtre enfant	Ferme toutes les fenêtres enfant de même niveau

70 Problèmes et solutions

Il suffit souvent d'un petit coup de pouce pour qu'un problème apparemment insoluble soit réglé en l'espace de quelques secondes. C'est ce genre de coup de pouce qui vous est présenté ici.

Stocker et retrouver rapidement des fichiers.

Problème :

Il vous arrive souvent de devoir chercher des fichiers au moyen de l'Explorateur ou du Poste de travail. Pour votre plus grand inconfort, c'est désespérément long !

Solution :

➤ Si vous cherchez toujours le même petit nombre de fichiers, créez les raccourcis correspondants sur le Bureau (localisez l'original, tirez le sur le Bureau avec le bouton droit de la souris, relâchez puis activez la commande *Créer un ou des raccourci (s) ici*).

➤ S'il s'agit d'un dossier, créez de même un raccourci de ce dossier sur le Bureau.

➤ Si les fichiers en question sont disséminés à travers plusieurs dossiers et sous-dossiers, créez un nouveau dossier et rassemblez les raccourcis de tous ces fichiers dans le dossier. Déposez-le ensuite sur le Bureau.

Charger plus rapidement les programmes

Problème :

La route est longue pour arriver aux applications rangées dans le quatrième ou cinquième niveau du menu *Démarrer*. Si vous utilisez fréquemment un de ces programmes, accélérez sa recherche.

Solution :

➤ Comme précédemment, déposez un raccourci de ce programme sur le Bureau.

➤ Affectez à ce programme un raccourci clavier permettant de le charger. Pour cela, cherchez une icône de ce programme (vous en trouvez normalement un dans le menu *Démarrer*) ou créez-en un. Cliquez avec le bouton droit sur cette icône (raccourci ou non) et appelez ses propriétés depuis le menu contextuel. Sur l'onglet *Raccourci*, le champ *Touche de raccourci* clavier vous attend...

Aperçu rapide du contenu d'un fichier

Problème :

S'agit-il bien de ce texte ou pas ?

Vous voulez copier, supprimer, ou charger un fichier, mais vous n'êtes pas certain qu'il s'agit bien de celui sélectionné.

Solution :

➤ L'Aperçu rapide permet de visualiser le contenu du fichier. Cliquez sur ce fichier avec le bouton droit de la souris et appelez la commande *Aperçu rapide* dans le menu contextuel. Si le premier fichier n'est pas le bon, il n'est nullement nécessaire de refermer l'Aperçu rapide. Faites simplement glisser le fichier suivant dans la fenêtre d'aperçu.

Référence rapide

C 14

R 70

Lorsque vous aurez ainsi déterminé le bon fichier, vous pourrez l'ouvrir dans son application source au moyen de la commande *Fichier/Ouvrir un fichier pour le modifier*.

➤   Pour les documents issus de certains programmes (Word pour Windows ou Excel par exemple) il existe une autre solution : si le programme est déjà chargé, faits un double clic sur le fichier. Contrairement aux versions précédentes de Windows, cette action ne charge pas une seconde fois le programme source en mémoire ; le fichier est chargé dans l'occurrence active.

Supprimer de la mémoire un programme planté

Problème :

Les programmes DOS ou Windows 3.x peuvent "planter". Le programme ne réagit plus et le sablier n'en finit plus d'être affiché.

Solution :

Activez la combinaison de touches *Ctrl+Maj+Suppr*. Une boîte de dialogue apparaît, listant toutes les applications actives, y compris celles ne réagissant plus. Normalement elle sera suivie du message "ne répond plus". Sélectionnez l'application plantée et cliquez sur le bouton *Fin de tâche*.

Suppression immédiate d'un fichier

Problème :

D'une part vous ne souhaitez pas encombrer votre disque dur en conservant les fichiers supprimés dans la Corbeille, et êtes certain d'autre part de ne plus avoir besoin des fichiers à supprimer.

Solution :

Sélectionnez les fichiers et faites les glisser sur la Corbeille en enfonçant la touche *MAJ*. Ils sont définitivement supprimés sans qu'il soit besoin de vider ultérieurement la Corbeille.

Intégrer des groupes de programmes Windows 3.x dans Windows 95

Problème :

Vous avez installé Windows 95 parallèlement à votre ancien Windows 3.x et constatez que les groupes de programmes Windows 3.x ne sont pas intégrés automatiquement dans Windows 95. Pour éviter d'avoir à recréer toutes les icônes, utilisez l'astuce ci-dessous.

Solution :

1 Copier les fichiers requis, avec l'extension *.GRP, de l'ancien répertoire Windows 3.x dans le répertoire de Windows 95.

2 Lancez le programme GRPCONV.EXE par la fenêtre *Démarrer/Exécuter*. Cet utilitaire se trouve dans le dossier de Windows 95.

3 Après exécution du programme, vos anciens groupes de programmes se retrouvent dans le menu *Démarrer*, sous forme de nouveaux dossiers.

➤ Une conversion des icônes de groupes en nouveaux dossiers du menu *Démarrer* n'assure en aucune manière le bon fonctionnement des programmes de ce groupe. Si les applications refusent de démarrer, il est probables que certains de leurs fichiers n'ont pas été trouvés car ils sont encore dans l'ancien répertoire Windows.

Ouvrir un objet avec l'Explorateur

Problème :

En accédant à vos données par le Poste de travail, vous ne disposez par défaut que de l'affichage des dossiers et les fichiers. Si vous souhaitez bénéficier des fonctionnalités de l'Explorateur, vous devrez charger celui-ci séparément et localiser à nouveau le dossier ou les fichiers voulus.

Solution :

Double cliquez sur le dossier ou le fichier en enfonçant la touche *Maj*. L'objet en question sera ouvert avec l'Explorateur.

Référence rapide

C 14

R 70

Charger un objet avec divers programmes

Problème :

Sous Windows 95 la plupart des objets, par exemple les fichiers texte ou les fichier image, sont associés à un programme précis. Dans certains cas, il est cependant plus judicieux de les ouvrir au moyen d'une autre application.

Solution :

1 Pour charger un objet avec une autre application, faites un clic droit sur l'objet. Cette action ouvrant le menu contextuel, sélectionnez la commande *Ouvrir avec*.

2 En cliquant sur cette commande, une boîte de dialogue vous permettra de choisir le programme à employer pour ouvrir l'objet.

Affichage de l'Explorateur ciblé sur des dossiers précis

Problème :

Un des inconvénients de l'Explorateur est le manque de souplesse de son affichage. Si vous lancez l'Explorateur après le démarrage de Windows 95, il présente par défaut l'ensemble de l'environnement de votre machine. Pour le prochain démarrage, il est capable seulement de mémoriser le dernier répertoire que vous y avez ouvert. La possibilité de créer un ou deux raccourcis de l'Explorateur sur des lecteurs ou des dossiers précis fait défaut. Une astuce vous permettra d'y remédier.

Solution :

1 Lancez l'Explorateur et cherchez le fichier EXPLORER.EXE dans le dossier Windows. Créez-en un raccourci sur le Bureau.

2 Cliquez alors dessus avec le bouton droit. Dans le menu contextuel, activez la commande *Propriétés* et son onglet *Raccourci*.

3 Dans le champ *Cible*, définissez le répertoire ou le lecteur qui doit être présenté
dans l'Explorateur par ce raccourci. La syntaxe
est la suivante :

> [/e][,root][,<Lecteur/Répertoire>]

Le paramètre "/e" est une option de l'Explorateur lui indiquant qu'il doit se concen-
trer sur ce répertoire précis. L'indication
",root" est impérative, elle sert à l'identifica-
tion de l'affichage du répertoire. <Lecteur/Répertoire> est la cible
effective de l'affichage.

4 Validez la boîte de dialogue par *OK*.

Accès facile et rapide au contenu du Presse-papiers

Problème :

Il est fréquent de placer dans le Presse-papiers des morceaux de document dont vous n'avez pas l'emploi immédiatement, quitte à les coller
ultérieurement en bonne place. Le problème est qu'en cours d'édition,
vous aurez à nouveau besoin du Presse-papiers pour d'autres opérations,
effaçant par là même les informations préalablement stockées.

Solution :

Pensez à la création d'extraits de documents. Il s'agit de morceaux d'un objet
ou d'un document que vous pouvez déposer sur le Bureau en vue d'une
utilisation ultérieure. Il est aussi possible de les stocker dans un dossier prévu
à cet effet.

Voici comment poser sur le Bureau un extrait de texte.

1 Sélectionnez la zone voulue et tirez-la sur le Bureau avec la souris.

Référence rapide

C 14

R 70

2 Une nouvelle icône est mise en place, dont le nom est composé d'une partie du contenu.

3 Pour réutiliser ensuite cet extrait; faites glisser l'icône dans la fenêtre du programme cible. Le texte ou les données sont intégrés automatiquement.

Sélection rapide de dossiers dans le réseau

Problème :

Si vous utilisez Windows 95 en réseau ou si vous avez installé de très nombreux dossiers sur votre machine, la recherche de fichiers peut prendre un temps considérable. Or, en général, vous connaissez le nom du fichier ou du dossier recherché. Comment accélérer l'affichage ?

Solution :

1 Appelez la fonction *Exécuter* du menu *Démarrer*.

2 Indiquez simplement le che-min d'accès au dossier recher-ché, par exemple :

Y:\UTILS\ISDN

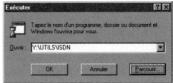

3 Le dossier et son contenu sont affichés quelques instants plus tard au sein d'une nouvelle fenêtre de l'Explorateur.

Cette astuce accélère considérablement l'établissement d'une connexion à un lecteur réseau. Il est aussi possible d'indiquer directement le nom d'un serveur dans la fenêtre *Exécuter*. Cette technique affiche une vue d'ensemble du serveur en question. Attention cependant : ceci suppose que vous ayez les autorisations nécessaires pour l'accès.

Redémarrer Windows 95 plus vite

Problème :

Lors de certaines modifications de configuration ou de paramètres, il faut redémarrer Windows 95. En activant la commande *Démarrer/Arrêter/Redémarrer l'ordinateur*, il s'agit d'un redémarrage à froid qui prend un certain temps.

Solution :

Pour redémarrer Windows 95 mais pas la machine, enfoncez la touche *MAJ*. tout en cliquant sur l'option *Redémarrer l'ordinateur*.

Windows 95 n'est pas chargé correctement

Problème :

Les problèmes de démarrage ne sont jamais totalement à exclure, surtout après modification de la configuration matérielle.

Solution :

Rallumer votre PC et au moment où apparaît le message *Démarrage de Windows*, appuyez sur la touche *F8*.

Dans le menu qui vous est ensuite proposé, sélectionnez le démarrage en mode sans échec. Windows 95 est chargé avec une configuration minimale de sorte que vous pourrez ensuite supprimer ou reconfigurer les pilotes litigieux.

71 Combinaisons de touches

Touches générales	
CTRL+ECHAP	Ouvre le menu Démarrer
F1	Appel de l'Aide de Windows 95
F3	Appel de la fonction de recherche
MAJ à l'insertion d'un CD	Désactivation de la fonction Autostart

Référence rapide

C 14

R 71

Actions sur les fenêtres

F10	Active la barre des menus
ALT+F4	Ferme programme et dossier
ALT+TAB	Bascule vers l'objet ouvert suivant (programme ou dossier)
ALT+MAJ+TAB	Bascule vers l'objet ouvert précédent (programme ou dossier)
F4	Ouvre la boîte de dialogue Fichier/Enregistrer dans la fenêtre de programme
F5	Rafraîchit le contenu du dossier
RETOUR ARRIERE	Affiche le contenu du niveau parent
CTRL+Z	Annule la dernière action (lorsque c'est possible)
CTRL+A	Tout sélectionner
MAJ+Fermeture de la fenêtre enfant	Ferme toutes les fenêtres enfant de même niveau

Actions sur les objets

F2	Renommer
MAJ+F10	Affiche le menu contextuel de l'objet sélectionné
ALT+Double clic	Affichage des propriétés de l'objet
MAJ+Double clic	Appel de l'Explorateur pour cet objet
CTRL+MAJ+Glisser-Déplacer	Créer un raccourci
CTRL+X	Couper
CTRL+C	Copier
CTRL+V	Coller
SUPPR	Supprimer (Déplacement dans la Corbeille)
MAJ+SUPPR	Suppression directe, sans Corbeille
ALT+ENTREE	Affichage des propriétés

Manipulation de l'Explorateur

* sur le pavé numérique	Affiche toutes les branches de niveau inférieures
+ sur le pavé numérique	Etend l'arborescence à la position indiquée
- sur le pavé numérique	Annule l'extension de l'arborescence
→	Etend un dossier à la position indiquée
←	Annule l'extension de l'arborescence
CTRL+Flèche de direction	Défilement de l'arborescence
F4	Ouvre et active la liste de changement de dossier
F6	Bascule entre les fenêtres de l'Explorateur
CTRL+G	Ouvre la boîte de dialogue Atteindre
CTRL+Glisser-Déplacer	Copie de fichier, au lieu de déplacement

Raccourcis avec la touche Win

Win+R	Ouvre la boîte de dialogue Exécuter
Win+M	Réduit toutes les fenêtres du Bureau
MAJ+Win+M	Annule toutes les réductions de fenêtres
Win+F1	Lance l'Aide de Windows 95
Win+E	Lance l'Explorateur
Win+F	Active la boîte de dialogue Rechercher
CTRL+Win+F	En réseau, lance la boîte de dialogue Rechercher/Ordinateur
Win+TAB	Commute entre les boutons de la Barre des tâches

Référence rapide

C 14

R 71

ompatible PC 486 ou
p.
Mo de RAM mini.
icrosoft® Windows®
1 x ou 95
primante reconnue
r Windows®
cteur de CD-ROM

Le document adapté pour toute circonstance !

Plus de 700 documents prêts à l'emploi, pour gérer toutes vos activités, professionnelles ou privées : archivage de vos disquettes, cassettes audio et vidéo, formulaires, jeux de société, fonds de page, en-têtes de lettres, carnet d'adresses, plannings et calendriers, affiches, inventaires (déménagement...), gestion d'association, petites annonces types, école...

VOTRE IMPRIMERIE

- Plus de 700 documents prêts à l'emploi, pour gérer toutes vos activités

- Thèmes : archivage de vos disquettes, cassettes audio et vidéo, formulaires jeux de société, fonds de page, en-têtes de lettres, carnet d'adresses, plannings et calendriers, affiches, inventaires (déménagement...), gestion d'association, petites annonces types, école (emploi du temps...), etc.

Votre Imprimerie

Réf. 1900
Prix conseillé : 99 FF (640 FB)
ISBN 2-7429-0900-1

MICRO
APPLICATION

Web
http://www.microapp.com

ACHEVÉ D'IMPRIMER
SUR LES PRESSES DE
L'IMPRIMERIE   CHIRAT
42540 ST-JUST-LA-PENDUE
EN SEPTEMBRE 1997
DÉPÔT LÉGAL 1997 N° 4288